U0065875

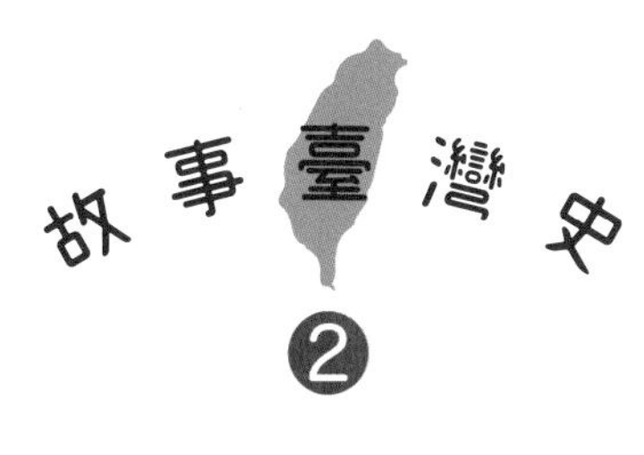

22個改變臺灣的關鍵人物

故事 STORY STUDIO 著

慢熟工作室・繪

許佩賢（臺灣師範大學臺灣史研究所教授）・審定

作者序

獻給下一代的臺灣史

你知道 1950 年代的臺灣，沒有電視可以看的日子裡，連阿嬤也懂得「斗內」嗎？現在流行的歌唱節目，早在 1960 年代就有開山始祖「群星會」？永和又為什麼會成為豆漿的代名詞呢？每段歷史背後總有精采的故事。

每個人都喜歡聽故事，但是卻不是每個人都喜歡讀歷史，「故事：寫給所有人的歷史」團隊一直有一個目標，我們想要把歷史寫給所有人看。網站創辦四年多以來，超過兩千篇的歷史故事，每月觸及率將近百萬，出版超過二十本書，辦理超過百場的活動，成為臺灣人文知識媒體的佼佼者，這就是故事和歷史的力量。

不過，我們想做的事情更多，希望向下扎根，為下一代寫歷史。我們希望這套《故事臺灣史》，是讀者的第一套臺灣史讀物，讓他們能在課本之外的地方還可以自己閱讀臺灣史的故事。

我們發現過去寫給小讀者的臺灣史故事，偏重從「編年」的角度看臺灣的過去，著重於各個時期的改朝換代，比較少著墨究竟是哪一些事件影響了現在的臺灣。但是臺灣在還沒有文字紀錄前，其實已經有許多族群在這座島上生活，也因為他們為臺灣加入不同養分，讓臺灣長成現在的樣子。臺灣歷史的特殊性，只從「時間」切點是無法完全勾勒輪廓的。因此，我們嘗試在堅實的知識上，運用輕鬆的筆法描繪臺灣的過去，並加入了空間、人物和生活事物的故事介紹，從「人」、「時」、「地」、「物」來貫串在臺灣島上發生的事件，透過彼此之間相互聯繫，將臺灣的歷史更加豐富的呈現出來。

除此之外，我們也把視角拉出臺灣，從世界史的角度思考臺灣的定位，了解臺灣與世界的關係，因此《故事臺灣史：10個翻轉臺灣的關鍵時刻》以時間為切點，挑選出十個臺灣的關鍵時代，介紹每個時期臺灣島上究竟發生了什麼事情，再想一想這座島嶼跟世界的關係，了解臺灣經歷了哪些改變，為什麼臺灣是現在這個樣貌，也有許多影響關鍵時刻的政治領導人物故事介紹。人物是歷史的靈魂，也是歷史的主體，因此《故事臺灣史：22個改變臺灣的關鍵人物》希望可以讓讀者認識社會中各領域重要的歷史人物，從這些人物的生命故事中，了解他們在臺灣歷史發展的貢獻。

從這些人物故事中，可以窺見不同時期各領域發展的樣貌，以及這個人物在當時的影響力與實際行動。像是在荷蘭時代來臺闖蕩的農民郭懷一，後來變成漢人領袖；大航海時代，將文字帶來臺灣的傳教士尤羅伯，也為當時的平埔原住民帶來文字紀錄的開始。在臺灣這個小島上，每個時期都是由不同的族群努力而成就的。因此，在這本書中，我們選出在臺灣歷史上具有意義的人物，他可能是反抗者、醫師、警察、傳教士、音樂家、記者、畫家……等，希望豐富讀者對於臺灣歷史人物的認識。希望他們的生命故事，可以激勵大家的人生志向和增加未來職涯的選擇。

歷史不只是過去發生的事情，還會與現實互動，從關鍵的時間點觀察臺灣史，可以發現臺灣島徘徊在不同的強權間，直到一百年前才漸漸有了自己的認同感。不過，書中所陳述的並不是臺灣歷史的全部，而是一把又一把鑰匙，希望藉此讓更多朋友認識臺灣的過去，面對臺灣的現在。隨著時代的改變，我們也要思考什麼樣的歷史觀點符合現在，甚至是未來的社會，以及臺灣的未來。

（國立中央大學中國文學系助理教授、
前故事：寫給所有人的歷史網站主編）

胡川安

推薦序

臺灣的未來，從關鍵事件與人物發現答案

新北市立丹鳳高中圖書館主任宋怡慧老師

余秋雨說：「歷史是一堆灰燼，當我們把手伸入灰燼中，期待的是星星之火所帶來的餘溫。」當你雙腳踏在慣走的土地，雙手觸摸母土的溫度，關於臺灣重大的事件與人物，我們真的都能留心嗎？

想要窺見臺灣歷史全然的樣態，不能不從世界史的長河中來觀察它流淌而過的曲道，才會看見臺灣史不一樣的定位與風景。不過，在作者的書寫中，歷史不是靜態的，它是和當代現實互動的有機體。臺灣的命運擺渡在自我認同與外來強權間的拉扯，試著從臺灣的過去探究一個未來可實踐的種種可能。

《故事臺灣史：10 個翻轉臺灣的關鍵時刻》、《故事臺灣史：22 個改變臺灣的關鍵人物》這兩本書保有「故事：寫給所有人的歷史」習慣說故事的口吻，從時間軸角度加入空間、人物、事件的元素，讓臺灣歷史的書寫頓時生動立體起來。就像許慎《說文解字》提到：「史，記事者也。從又持中，中正也。」每個寫史的人都有他選擇的觀點與材料，讀者也能從作者理解的事實，找到你看不見的事實。

《故事臺灣史》系列以故事體的輕鬆筆調，娓娓道來重要的臺灣史事，不只讓讀者擁有閱讀的親切感，也不自覺的走進一個又一個的歷史風景裡：從荷蘭風起雲湧的海權時代到東亞海域驚心動魄的權力爭奪，抑或是清領時代、皇民化時代，臺灣人民在歷史舞臺，失去實質的土地發言權……從十個關鍵時刻與二十二個關鍵人物去思考：「如果當時某個決策改變了，結果是否也會跟著改變了？臺灣的命運與未來是否也會因此政權更迭或有不同的轉向？臺灣從地理優勢崛起，甚至被推上世界舞臺，最後歷經百轉千迴的淬鍊，我們走向民主自由的道路。」

我始終相信，歷史不只能從課本內的知識去理解，應該還可以跨界到課本外的史料去思辨與深究。這系列的作者不要我們背歷史，他期待用嶄新的史觀視角與學習方法，選擇重要的歷史事件與現實生活連結，透過流暢的敘述，引領讀者有系統、有脈絡的讓我們發現：每個事件的背後，深藏著重要的文化意涵，這更值得我們去探究與思考，而且生活在臺灣這塊土地上，沒有人該是局外人。

從十個關鍵的時空座標與二十二個關鍵人物的專題，著重在歷史人物與事件的聚焦，讓我們更深入探討臺灣史發展的重心。尤其，繪者以貼近讀者的閱讀立場，加入藍鵲老師、小安與彎彎等漫畫人物進行 Q&A 的對話，讓讀者彷彿穿越時空，重回當年的日常生活與情境，沒有違和感的學習臺灣史。加上知識補給站、歷史報你知、大事紀的專欄設計，避免編年體的瑣細與失焦，讀者可藉由多元的專欄，進行重大事件原因和影響的「腦補」。至於，歷史故事的延伸影音，讓我們看見多媒體時代歷史多面、多樣的活潑性與豐富性。

歷史展現一個個過去的圖像，不只讓我們理解歷史，也找到批判思考的鑰匙，一如先民力圖突破和超越困境，拋頭顱、灑熱血的為後代做出無私貢獻，我們才能享有現在的進步生活。若以史為鑑，走在歷史的風景裡，我們又該選擇往哪裡去呢？我想，在《故事臺灣史》裡，我們都找到了答案。

目錄

出場人物

藍鵲老師

年齡不詳，沒有人知道他從哪裡來，隨時隨地都拿著書不放，是個彷彿什麼都懂，什麼都知道的歷史專家。每到一個地方，都可以侃侃而談，說出屬於那裡的故事。

小安

11 歲，一年級時曾搭鐵路小火車上阿里山玩，覺得那裡充滿神祕氣息，從此愛上鐵道旅遊。最喜歡做的事情是「吃東西」，只要有好吃的食物，什麼地方他都願意去！

彎彎

10歲，小安的鄰居。藍鵲老師是她和小安的祕密朋友。她最喜歡在週末時跟著藍鵲老師，四處旅行，了解臺灣的故事。

§第一章§

臺灣第一個國王？

距今400多年前，臺中地區曾經有個「大肚番仔王」，據說，只要他舉起弓箭，箭射到的田地就會大豐收。

荷蘭人的記載，從大甲溪南下七小時的路程，就會抵達大肚王所統領的大肚社。只是，在歷史上，關於這個臺灣的第一個國王的記載並不多，但他卻在荷蘭人與鄭成功激烈交戰的舞臺上占有舉足輕重的地位呢！

大肚王不好當！

臺中大肚一帶曾經被譽為「臺灣最富庶的地方」，這裡有廣闊的平原，加上臨近水量平穩的大肚溪，因此盛產穀物與各種物產。或許因為這裡生活環境比起其他的村社好得多，才會出現「大肚王射箭，農地就會豐收」的傳說。

只是，這麼大的區域、如此多的村落，為什麼會聽從「大肚王」的命令呢？其實，「大肚王」雖然被稱為「王」，但並不代表他建立了一個王國（Kingdom），而是比較像具有權力、地位的「部落聯盟領袖」。當地的村社臣服於他，而大肚王則必須展現領導實力，協助各村落分配物資，有衝突則必須站出來協調。一旦有外族入侵時，他就得率領眾人站出來反抗，保護村社的領地。

荷蘭人來襲

荷蘭人在 1624 年來到臺灣後，得知臺灣中部有大肚王甘仔轄 ‧ 阿拉米（荷蘭文記錄為 Cama chat Aslamie），他統領臺灣中部。起初，荷蘭人並沒有打算派兵進攻。直到 1642 年，荷蘭人趕走了西班牙人，占領臺灣，才開始與大肚王國發生衝突。

雖然當時大肚王國荷蘭人勢均力敵，不過可能考量到長期的衝突只會消耗實力，不如選擇以和平換取族民們平靜的生活。因此，在 1645 年他首度南下臺南普羅民遮城，參加荷蘭人舉辦的「南路地方會議」。大肚王的態度改變對荷蘭人來說無疑是個大好消息，因為往來臺灣南北交通不會再因為大肚王而受到阻礙。

在這個會議上，荷蘭人頒發藤杖給平埔原住民頭目，代表給予他們治理村社的權力，但是荷蘭人同時也威嚇參與會議的頭目，讓他們不敢不服從命令。會議上的重頭戲就是大肚王與荷蘭人簽約的戲碼，表示他願意服從荷蘭人，雙方達成協議，大肚王仍然保有自己的權力，但是並非從此過著幸福快樂的日子。

對於荷蘭人來說，大肚王依然令他們頭痛。雖然大肚王向荷蘭人表示臣服，卻不是完全聽命。像是大肚王雖然同意讓荷蘭人通過他們的村落，卻不讓傳教士進駐村子裡傳教，因此在荷蘭人的文獻紀錄裡，臺中一帶從未出現教堂、學校。

而且荷蘭人從大肚王管轄區域所收到的交易稅金，始終遠遠比不上其他平埔族村社，這些景況讓荷蘭人覺得大肚王的臣服，只是做做表面功夫，實際上依舊過著自己的生活。因此，荷蘭人決定開始派軍進駐虎尾壠（今日雲林虎尾地區），並介入大肚王管轄區域內村落的衝突，打算逐步削弱大肚王的勢力。不過，這時候，荷蘭人也面臨了外患——鄭氏家族大舉進攻。

地方會議

早在漢人大量移民來臺之前，荷蘭人已經頻繁的與臺灣平埔原住民往來。荷蘭人以武力征討，或者以貿易利誘的方式，與各社建立關係，並讓歸順的平埔部落每隔一段時間，出席荷蘭東印度公司的「地方會議」。

當時將臺灣分成北部、南部、淡水地方、卑南地方四個區域，分區召開會議。荷蘭人會由長官率領高級幹部及教會相關人士參加，平埔各社則推派代表參與。在會議中荷蘭人授予原住民頭目權杖、旗幟，還有帶土的樹苗，象徵著平埔族臣服，並受荷蘭人的保護。而漢人通常不能參與這些地方會議。

■1652年繪製的荷蘭人地方會議情況，部分原住民頭目列席參與會議。

鄭氏家族來襲

1661 年，鄭成功在臺南和荷蘭人打得如火如荼，戰火也同時延燒到千里之外的大肚社。後來，鄭成功軍隊趁著大潮進入臺南鹿耳門水道，嚇得普羅民遮城（今日臺南赤崁樓）駐軍開城投降，之後軍隊又轉往包圍熱蘭遮城（今日臺南安平古堡），雙方陷入膠著對決。

一開始，熱蘭遮城的長官揆一還沒有打算投降。但是漂泊在海上許久的鄭氏軍隊由於缺糧已久，急著結束戰爭好爭取更多的糧食，所以勢如破竹攻下大員，最後荷蘭人也不得不投降並離開臺灣。

為了解決糧食問題，鄭成功還安排軍隊至各地屯墾，但是屯墾無法快速解決缺糧問題。屋漏偏逢連夜雨，原本該從金門來到臺灣的運糧船又遲遲沒來，向民間索取的番薯頂多只能支撐一陣子而已，於是被指派到臺中屯田的軍隊別無他法，開始入侵大肚社的領土，雙方因此開戰。

雖然這一次的戰役是由大肚王率領的村社勇士擊退鄭家軍隊，但因為長期盤踞在臺灣中南部地區的大肚王，始終是阻礙鄭氏王國向北發展的眼中釘，所以鄭家軍隊一而再，再而三入侵大肚王管轄下的各個區域。1670 年，鄭家軍隊派兵大舉入侵沙轆社，並放火燒了周圍村落，只剩少數村民逃往南投水里、埔里一帶。這一次的入侵幾乎導致滅族，大肚王的勢力從此開始解體，而大肚王的傳奇到此也告一段落，走下歷史舞臺。

大事紀

1600 年代左右—甘仔轄 · 阿拉米出生。
1624 年—荷蘭人登陸臺灣。
1644 年—荷蘭人進攻大肚王國失敗。
1645 年—甘仔轄 · 阿拉米與荷屬東印度公司簽署條約。
1648 年—甘仔轄 · 阿拉米逝世，由甘仔轄 · 馬祿繼承大肚王位置。
1670 年—鄭家軍隊將領劉國軒進攻沙轆社。

歷史故事延伸影音 

Taiwan Bar -【故事 · 臺中 EP1】
原住民獨立建國？！傳說中的大肚王國

第二章

臺灣第一個移工運動領袖

荷蘭治理臺灣時期，因為需要人力協助開墾，因此召募了許多明帝國的農民來臺，當時有許多來到臺灣這個新天地尋找機會的冒險者，他們更是第一批來臺工作的移工。

其中有一位漢人領袖郭懷一，因為時勢所逼，帶領大家反抗荷蘭人，卻在1652年的夏天快結束時被平埔原住民砍傷，再也無法回到家鄉。

臺灣是個移工新天堂？

郭懷一出生於十七世紀的中國東南沿海，當時兵荒馬亂，不時會有海盜搶劫村莊，人民過著辛苦的生活。長大後的郭懷一聽到荷蘭人正在召募漢人前往一座島嶼開墾——只要坐船渡過黑水溝，抵達那座名為福爾摩沙的美麗島嶼，占領島嶼的荷蘭東印度公司會分配土地給農民耕作，以種植稻米與甘蔗為主，而且每年只需要將一部分收成當作稅金交給荷蘭人就可以了。相較於時局混亂的家鄉，臺灣安定的生活，讓郭懷一非常嚮往。

郭懷一和許多的年輕人一起搭船來臺灣碰碰運氣，算是臺灣第一代的「移工」。他們來到臺灣後，有的人負責種植稻米和甘蔗，有些則從事買賣、捕鹿、捕魚。然而好景不常，1650 年後，當時國際知名的海盜商人鄭芝龍橫掃日本到東南亞間海域，並以優勢的海軍實力封鎖要賣往臺灣的中國絲綢、瓷器等貨品。荷蘭人為了彌補海上貿易的損失，開始向臺灣的農民與商人徵收高額稅賦，漸漸引起郭懷一和其他農民的不滿。

開始惡化的生活環境

不過，威脅到郭懷一生活的不只是荷蘭人。當時在臺灣島上還有一群呼風喚雨的漢人頭家，這些頭家透過「贌社制度」，壟斷平埔社部落的貿易。他們的勢力很大，與荷蘭人關係密切，就像是荷蘭人的商業伙伴。

這些漢人頭家偶爾也會幫忙荷蘭人收稅，壓榨農民，並從中獲取不少利益。農民生活越來越困苦，只好向荷蘭當局反應，但是抗議無效。

許多農民找上郭懷一討論對策，希望可以改善生活。郭懷一知道，儘管農民人數眾多，但要打敗荷蘭人可不容易。除了荷蘭人擁有槍械等武器，那些每一年都參加地方會議的平埔原住民，也可能會協助荷蘭人來對抗農民。

但是郭懷一考量眾多農民的心情，決定帶領大家一起反抗荷蘭人。即使情勢不利，郭懷一最後仍然決心帶領大家一起反抗荷蘭人。

農民爆走，反荷行動開始

1652 年 9 月 8 日天剛亮，郭懷一和一群決心起義反抗的農民拿著斧頭、鐮刀等農具，前往荷蘭人居住的城堡準備攻擊。郭懷一等人殺了幾個荷蘭人和奴僕後，就埋伏在草叢中，準備攻擊接下來的荷蘭援軍。

不過，有一些漢人頭家事先向荷蘭人通風報信。得知郭懷一等人反叛消息的荷蘭人，馬上率領火槍兵前來鎮壓，那些先進的武器嚇阻了起義的農民們，荷蘭人逐漸取得優勢。

不過，參與的漢人農民實在太多了，所以荷蘭人只好向周圍平埔社求援，並承諾每抓到一個叛亂漢人，就會提供獎金作為報酬，因此吸引了許多平埔族部落開始參與圍捕抗議漢人的行動。

大約過了十幾天，大部分的漢人首領都被逮捕，郭懷一則是在逃亡途中被平埔族殺害，最後將近有 3000 多名漢人喪生。

反荷運動的影響

這場反抗行動，造成將近五分之一來臺農民傷亡，許多稻米和蔗糖收成也在反抗行動中損毀，對當時的農業帶來嚴重影響，荷蘭人更因此開始對漢人提高戒心。考量赤崁地區缺少比較堅固的據點，因而興建普羅民遮城（今日臺南赤崁樓地區），以提高大員的防禦力。

其實，被後人稱為「抗荷英雄」的郭懷一，和許多來自外國的移工一樣，只是為了在混亂的時代中求生存，才鼓起勇氣橫渡黑水溝來到臺灣這個未知的島嶼。或許在郭懷一的心中，也沒想過自己會成為抗荷英雄。至於那些一樣來自中國的漢人頭家，沒對生活困苦的農民伸出援手，卻反過來壓迫他們，應該也是郭懷一萬萬沒想到的吧。

大事紀

1624 年—荷蘭東印度公司在臺南附近建立據點。
1636 年—荷蘭人開始發放獵鹿執照給漢人。
1640 年—荷蘭人招募大量漢人來臺灣開墾。
1650 年—鄭芝龍逐漸壟斷中國商品出售，荷蘭獲益減少，開始對漢人增稅。
1652 年—抗荷行動發生，郭懷一喪命。
1662 年—荷蘭人被鄭成功擊敗，撤離臺灣。

第二章

為平埔族人帶來文字的荷蘭牧師

1629 年 8 月 8 日，一艘三桅帆船乘著西南季風，在船隊的護航中駛入臺灣南部的臺江內海。這艘船屬於荷蘭東印度公司，上面載著新上任的長官普特曼斯，以及一個剛從神學院畢業的尤羅伯牧師（Robert Junius）。當時，沒有人能預料到這個二十三歲、剛畢業的小夥子，即將成為在福爾摩沙重要的傳教士之一，並對嘉南平原上的平埔原住民帶來深刻的改變……

踏上傳教之路

尤羅伯出生於荷蘭鹿特丹，當時海上貿易蓬勃發達，荷蘭東印度公司控制了巴達維亞（今日的印尼），在東亞的海域上取得許多殖民據點，並與西班牙人互相競爭領地和貿易事業。

尤羅伯二十二歲從荷蘭瓦萊神學院（Walaei Seminarium）畢業後，被派遣到巴達維亞服事，隨後又轉往荷屬東印度公司剛占領不久的福爾摩沙服務。

他抵達熱蘭遮城後，跟著前輩甘治士牧師一起工作，從甘牧師口中得知一個剛發生的慘劇——八天前，在麻豆溪畔（今日的曾文溪），強悍的麻豆社和目加溜灣社聯手，襲擊了六十三個荷蘭士兵，只有一個華人翻譯與一個黑人奴隸倖免於難。接著，麻豆社又殺入新港社，缺乏兵力的荷蘭人只好回熱蘭遮城避難，導致新港社死傷慘重。

荷蘭人沒有保護好自己的盟邦新港社人民，使得荷蘭東印度公司的威嚴掃地，也讓尤羅伯在新港社的傳教工作更加困難。不過，尤羅伯沒有把時間浪費在唉聲嘆氣，反而積極向甘牧師學習新港話。兩年後，他終於可以在新港社獨立傳教，以新港話和當地居民對話。

當西拉雅女巫遇上荷蘭牧師

不過，尤羅伯的傳教工作並非一帆風順。在新港社的傳統裡，西拉雅族人的宗教祭儀是由女巫（Inibs）主持的。大部分的女巫都是五十歲左右的婦人，會借助神靈與阿立祖的力量為信眾祈雨、醫病和占卜。由於西拉雅族的信仰中，認為女性太年輕就生產會替村落招來不幸，因此女巫會挨家挨戶的替未滿 37 歲的女性墮胎。

當尤羅伯在新港社中傳教時，女巫也會對村人提出警告：「上帝的法力比不上西拉雅諸神，假如你們捨棄西拉雅的神祇，我們的部落明年就不會有豐收。」西拉雅不同的信仰觀念和尤羅伯的基督教信仰大相逕庭，於是他在傳教時會極力勸阻那些墮胎、供奉供品做法。他甚至為此微調《十誡》的內容，告訴信眾們：「第七條、不可殺人，或是墮胎。」、「第十條、不可偷情，或是祕密和女子見面。」好減少年輕女子不小心懷孕，而女巫必須幫忙墮胎的陋習。

尤羅伯用羅馬字拼寫新港話，並以新港文編寫宣教內容，讓新港社的信眾們可以透過新港文閱讀聖經，了解基督教義，進而讓基督教信仰得以在新港社發光發熱。

在尤羅伯的努力下，新港社開始改變。荷蘭人舉辦的新港社長老會議，規範禁止女巫進出自己家以外的住戶，限縮她們的影響力，使得女巫和阿立祖的信仰逐漸削弱。到了 1635 年，大多數的新港社人都已經改信基督教，其中更有 50 對夫婦是在牧師的證婚下，依循基督教的儀式舉行婚禮。雖然還是偶爾會有些人會偷偷祭祀阿立祖，或是用肥肉、檳榔等祭品來祭拜「上帝」，但是基督教信仰已經在臺灣漸漸扎根。

荷蘭盛世的建立

對尤羅伯來說，1635 年是令人振奮的一年。他不斷建議荷屬東印度公司的臺灣長官儘早發兵打壓麻豆社，不讓麻豆社的部落持續損害荷蘭人的威信。趁著冬天時，五百名武裝的荷蘭士兵和新港社人終於聯手擊敗麻豆社。戰後，尤羅伯以荷蘭代表的身分與麻豆社長老達成停戰協議，麻豆社承諾臣服於東印度公司，除此之外，麻豆社每年必須繳納一隻公豬與一隻母豬給東印度公司，作為麻豆溪事件賠罪。

後來，尤羅伯和東印度公司的長官和軍隊更是東征西討，讓荷蘭人的勢力威鎮整個臺南地區，把鄰近的幾個部落都納入管轄區域。有了行政力量的加持，尤羅伯的傳教事業蒸蒸日上。他為了傳教而引入的羅馬字母拼音，為新港社話留下了珍貴的紀錄。這套新港文在荷蘭人離開臺灣後的一百五十年左右，仍然被平埔原住民用在書寫土地契約。

尤羅伯甚至開辦學校，教導幼童用新港文閱讀聖經，並且訓練了五十多名原住民教師在學校中講學，他對新港地區的宗教、教育都有不少貢獻。

直到他離開臺灣前，曾替五千多名原住民施洗，按照基督徒的儀式結婚的新人更多達一千人左右。不過，其實尤羅伯也有嚴酷的一面，他透過軍事力量，扭轉平埔原住民的宗教世界，還把新港社以外的 250 位女巫流放到臺南邊疆的諸羅山上，他雖然允諾只將女巫流放十年，當她們不會再對基督教信徒們造成干擾，就能返回自己的故鄉。然而，十年後倖存下來的女巫只剩下 48 位。

或許在那個時代的傳教士，除了傳教，也必須協助東印度公司的殖民工作。而尤羅伯也因此參與並見證了荷蘭東印度公司在臺南地區建立霸業的過程。

新港文和國字並列的土地契約。

大事紀

1606 年—尤羅伯出生於荷蘭鹿特丹。
1629 年—抵達臺灣熱蘭遮城。
1631 年—在新港社傳教。
1635 年—隨軍遠征麻豆、蕭壠社。
1641 年—下令將新港社以外的女巫放逐至諸羅山。
1643 年—離開臺灣。
1655 年—在阿姆斯特丹因感染瘟疫過世。

§第四章§

在時代與命運間斡旋的海盜

「長官，這次襲擊商船的任務就交給我，一定沒問題！」鄭芝龍接下荷蘭長官交代的任務，一臉堅定且自傲的神情。二十多歲的他，已經在澳門、菲律賓、日本等地闖蕩一段時間了。

我們都很熟悉他的兒子鄭成功，但是鄭芝龍卻是為鄭氏王國打下基礎的人。究竟，他是如何一步步從小小翻譯官，成為叱吒日本到東南亞海域的海盜商人呢？

比小説還精彩的人生劇場

當過商人、翻譯官……最後成為海盜首領、明帝國官員的鄭芝龍，一生充滿轉折。1604 年鄭芝龍出生於中國福建。當時的中國由明帝國統治，為了防範日本人的騷擾，明帝國下令實施「海禁」，規定人民不能私自出海，也不允許外國人到中國做生意。然而，住在沿海的居民為了生活，仍不時會偷偷開船出海，跟日本、東南亞等地方的人進行貿易。鄭芝龍也是其中一員，他經常在東南亞的海域經商，也曾在澳門短期居住，學習葡萄牙文。

後來，他到日本平戶（今日日本長崎縣）做生意時，認識勢力龐大的商人李旦。李旦十分欣賞年輕又有膽識的鄭芝龍，還為鄭芝龍作媒，介紹田川氏給他當妻子，也安排鄭芝龍去臺灣擔任荷蘭人的翻譯，從此影響了鄭芝龍日後的發展。

鄭芝龍擔任荷蘭人翻譯官一陣子後，決定轉換工作跑道。他投靠臺灣沿海勢力龐大的海商顏思齊，成為他的伙伴，雖然美其名是海上貿易，但工作內容有時候更像是個海盜，他們會襲擊來往的國外商船，獲取利益。不過，在鄭芝龍加入不久後，顏思齊卻因病過世了。

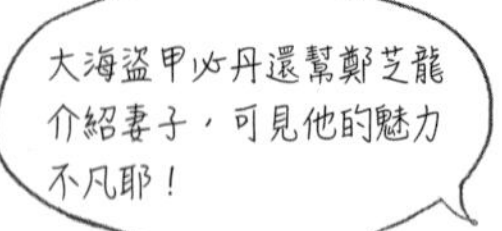

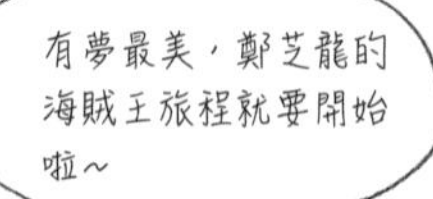

你一定覺得奇怪，好端端的翻譯工作不做，為什麼要突然改行去當海盜呢？

原來，鄭芝龍最想做的事情其實就是「經商賺錢」。但當時想要在海上經商，並不是一件簡單的事情。大多數的國家都不知道該怎麼管理這些海上的貿易活動，商人們周旋在各國商船、官方單位與供應商之間，光是進出口各種貨物就已經耗費不少心力。好不容易把貨物運出港口，在前往目的地的途中還可能遇到海盜搶奪，因此想避免自己的財物損失，就只能自力救濟，組建自己的軍團來抵禦其他海盜的攻擊。

鄭芝龍也不例外，當他擁有自己的船隊後，更是努力擴張勢力。剛好遇到中國東南沿海鬧旱災，災民們幾乎活不下去了，鄭芝龍趁機召募這些無家可歸的災民進入自己的船隊。這一支龐大的海上軍隊讓明帝國朝廷相當不安，但面對勢力強大的鄭芝龍，他們也沒有其他對付的辦法。最後明帝國決定招降鄭芝龍，封給他官位，讓他協助維持東南沿海的秩序。

有了明帝國官位的加持，擁有著三萬多的部眾、千餘艘船隻的鄭芝龍成了真正的海上霸主。在日本、中國沿海、臺灣、澳門，一直延伸到菲律賓的東南亞海域，無人不知，無人不曉，這就是鄭芝龍的天下！

短短數年之間，鄭芝龍的身分一再轉變，最後竟然成為明帝國的官員，他的人生簡直比小說還要精彩刺激。不過，1644 年明帝國滅亡，鄭芝龍的人生又面臨了一個轉捩點。當清帝國接替明帝國政權，鄭芝龍決定再賭一把！他帶領家人隨清帝國軍隊從福建前往北京，投降清帝國。他以為這次在前頭等著他的是更多的榮華富貴，沒想到這一切卻因為兒子鄭成功有了變化。

講不聽的兒子打亂了一切計畫

鄭芝龍在兒子鄭成功六歲時，把他從日本接回中國生活，並讓他接受儒家教育。當鄭芝龍決定投降清帝國時，鄭成功卻反其道而行，率領鄭芝龍的部下在中國東南沿海繼續對抗清廷。

堅持抗清的鄭成功讓清帝國大為頭痛，於是清廷派鄭芝龍遊說他，希望父親出馬能順利讓鄭成功回心轉意，不再反抗。只是鄭成功卻十分堅持己見，他甚至對自己的弟弟說：「萬一父親不幸被殺害，這都是天命。我只能身穿孝服為父親復仇，以成全忠孝！」

不管威脅利誘，鄭成功仍不為所動，遲遲不願投降，此舉大大激怒了清廷，於是將鄭芝龍和他的妻兒流放邊疆。1661 年，鄭成功驅逐荷蘭人，成功占領臺灣，清廷更因此下令將鄭芝龍斬首。曾經叱吒風雲，掌握臺灣周邊海上貿易的霸主鄭芝龍，生命最終在冰天雪地的北方劃下句點。

雖然人生以悲劇收場，但回頭想想鄭芝龍的人生故事實在是精彩萬分，鄭芝龍終其一生都在東亞這片海域上奮鬥，不斷和命運以及時代斡旋，他的努力和冒險精神，讓鄭氏家族的產業得以蓬勃發展，也因為後來鄭氏家族在臺灣的開發，引進各種政治、文化制度，深深影響著臺灣的命運。

大事紀

1604 年—鄭芝龍出生於福建南安。
1624 年—因李旦推薦，鄭芝龍擔任荷蘭人的翻譯及通事。同年，兒子鄭成功出生。
1625 年—李旦去世，其臺灣的資產轉由鄭芝龍控制。
1628 年—鄭芝龍被福建巡撫熊文燦說服，擔任「海防游擊」。
1644 年—明帝國滅亡。
1646 年—鄭芝龍受清軍招降，前往北京。
1647 年—清兵攻破鄭芝龍故鄉福建，殺了他的妻子田川氏。
1655 年—因鄭成功久招不降而入獄。
1661 年—鄭成功攻陷臺灣，清政府將鄭芝龍斬首於北京。

§第五章§

深謀遠慮的政治家

「接下來該如何是好？該把臺灣留在手上，還是再試探一下荷蘭人的想法啊？」施琅身為清帝國攻下臺灣的第一功臣，照理說，凱旋歸國後，應該是要沉浸在勝利喜悅的日子，他卻絲毫沒有鬆懈。

因為清廷上上下下正為了「臺灣」吵得不可開交。究竟施琅又是怎麼思考臺灣問題，又將會如何影響臺灣呢？

等待機會，伺機而動

施琅出生於動亂的年代，家鄉經常受到海盜的侵擾，為了溫飽，他加入了其中一個海盜勢力——鄭氏家族集團。他成為鄭成功的部下，協助鄭成功在海上經商、劫掠。他的個性莽撞，卻很講義氣，做事直來直往，成為鄭成功的得力助手。當他的父親因故被鄭成功殺害後，他一氣之下，與鄭成功反目成仇，向清帝國投降，更反過來帶領清軍對抗鄭成功。

但是後來清帝國更改策略，希望與鄭氏家族和平談判，所以清廷將施琅調派至北京，並升職，美其名是要嘉獎他幾年來帶兵打仗的努力。但是，原本在戰場上奮勇殺敵、打仗的大將軍，卻被調往文官，生活大不如前，而且這麼一待，就是二十多年。許多人會因為工作不如意而意志消沉，但施琅沒有。他雖然無法領兵作戰，但卻把握機會與朝廷官員結為好友，等待時機。

終於讓他等到清廷決定再度對鄭氏王國出兵，熟悉鄭氏王國的一切，加上那些與施琅關係良好的官員們更是聯合向皇帝推薦他再次出征。這一次，施琅表現得依舊非常出色，他率領軍隊順利殲滅鄭氏王國主力海軍，康熙皇帝大喜之下，也賞賜了不少土地獎賞他。

康熙皇帝的考驗

只是，攻下鄭氏王國，取得臺灣後，康熙皇帝又給了施琅另一個難題：臺灣究竟是留還是不留？

有些大臣覺得治理臺灣太花錢了，不如還給荷蘭人治理比較好；但是另外一派的大臣卻覺得統治臺灣，有助於清帝國的國防安全。康熙皇帝雖然覺得臺灣這樣一個小島不值得花太多資源治理和開發，但他想聽聽多方意見，所以他下令文武百官都要發言，針對這件事要討論出個結果，當然，身為治臺大功臣的施琅也被點名了。

曾在對付鄭氏王國的戰爭期間，親自踏上臺灣土地的施琅，此時他的發言對康熙來說當然深具影響力。然而，康熙皇帝給的這道難題卻不是個簡單的考驗。施琅嗅到了危險，他知道自己剛打了一個大勝仗，任何發言都得小心翼翼，伴君如伴虎，萬一不小心，很容易就會讓皇帝找到藉口對付他。加上已經有前車之鑑——有大臣批評康熙皇帝，最後落得被拔掉官位的下場。施琅明白自己的回答會決定自己的命運，萬一一步踏錯，很可能會失去現在的地位。

而且他私下找荷蘭人探過口風，明白荷蘭人不想再統理臺灣，他也不能從和荷蘭人的祕密貿易協議中獲得商業利益，他得趕快換個想法，勸皇帝把臺灣納入版圖才行！

他左思右想，終於想到一個好方法，那就是——不要正面接住康熙皇帝的球。他不直接明說是否該統治，而是分析放棄與留下臺灣的好處與壞處。施琅寫了〈恭陳臺灣棄留疏〉給康熙皇帝，報告中除了寫下臺灣有哪些豐富的物產資源可以運用之外，還告訴皇帝：「如果留下臺灣，便可以作為軍事基地，保護中國的東南沿海；如果放棄臺灣，那一旦臺灣被海盜占據，東南沿海會暴露在危險之中。」

其實，從施琅寫下的報告來看，很明顯的，他希望留下臺灣，把臺灣變成清帝國版圖的一部分。但他卻並不直說，以免功高震主。這樣也可以做球給康熙皇帝，讓皇帝向大臣討論時，可以掌握施琅的可靠訊息，進而做下正確決定，也能增加皇帝的威信。後來施琅也順利的通過了康熙的考驗，保住自己的地位。

所有的經歷都有意義

施琅的建議，讓臺灣終於從一個不斷受外人侵擾、充滿海盜、移民的地區，正式進入清帝國統治的版圖，也開啟了臺灣有更多開墾、發展的機會。回頭看看施琅一生的經歷，他在戰亂之中加入鄭氏家族勢力，後來投降清帝國後，也經歷過工作的低潮期，但是那些經歷讓施琅逐漸熟悉官場文化以及與皇帝的應對方法，也領悟到，做事情並不一定是快速就能成功，有時候更需要沉住氣，等待時機。

想一想，如果施琅在被調往北京的時間裡，因為失望而沉寂，甚至依舊莽撞的應對，而不是抓住機會擴充自己的人脈與累積能力，或許施琅的官場發展也不會那麼順利，也等不到再次帶領軍隊攻臺的機會，當然也不可能和康熙皇帝討論臺灣棄留，而臺灣的命運也不會因此轉向。

大事紀

1621 年—施琅出生。
1644 年—明朝滅亡，吳三桂引清軍入關。
1647 年—加入鄭成功海商集團。
1652 年—父親和弟弟被鄭成功殺害，因而與鄭成功反目成仇。
1662 年—第一次擔任福建水師提督。
1669 年—清朝決定不繼續攻打在臺灣的鄭氏家族，施琅被解職調回北京。
1681 年—復出，第二次擔任福建水師提督。
1683 年—率軍占領臺灣，並上奏〈恭陳臺灣棄留疏〉。
1684 年—康熙決定將臺灣納入清帝國版圖，治理臺灣。
1696 年—施琅逝世。

§第六章§

社會運動家

1787 年下旬，清帝國北京紫禁城內，乾隆皇帝面色凝重，許久無法言語，朝廷大臣則全都陷入愁雲慘霧中，不敢說一句話。因為乾隆手上一份又一份來自臺灣的奏摺，全都寫著清廷的軍隊在臺灣戰況不斷失敗，林爽文的軍隊接二連三攻下城鎮。

原本以為只是小規模的叛變，為什麼在林爽文帶領下，一年之間，讓整個臺灣中、南部幾乎淪陷，也演變為清帝國治臺以來最大規模的抗清行動？

嚇得乾隆皇帝冒冷汗的林爽文是何許人？

林爽文祖籍在中國漳州，後來遷往臺灣彰化大里杙莊（今日的臺中大里地區）。他曾經擔任彰化縣縣捕，交遊廣闊，認識各路英雄豪傑，後來加入「天地會」。當時官員壓榨百姓的事情層出不窮，為了保護自己的身家安全，來到臺灣開墾的移民往往尋找相同祖籍的人，一起組成村落和會社，彼此互相幫忙，天地會就是這樣的一個地下集會組織。

原本清廷地方官府與天地會之間，沒有太多激烈的衝突。不過，在 1786 年時，因為兩個不同幫派的衝突和械鬥事件，牽連到彰化的天地會組織，清廷官府藉機大規模嚴格取締天地會，還逮捕一些會眾關進監獄。由於這些會眾大多是來臺辛苦開墾的農民們，因此引起了不少農民同仇敵愾，決定一起對抗清廷。

當時，林爽文被推派為彰化天地會首領，並率眾劫獄，救出被抓走的天地會成員。這些激烈的行為，讓清廷決定要逮捕林爽文，並加以懲處，此舉卻引發了天地會更激烈的抗清行動。天地會的成員在短短兩天之內，就殺死彰化縣城的重要官員，攻下彰化。

林爽文的行動鼓舞了其他長期被欺壓的漢人一起響應，像是淡水廳及鳳山縣都有支持者相繼叛變。即使各地清朝官員奮力阻止叛軍，林爽文所率領的大軍仍然來勢洶洶，清廷官員、士兵死傷慘重。

這場由林爽文帶起的抗清風潮，是清帝國治臺時期最大的民變，簡直澈底搗亂了清廷在整個臺灣的行政布局。到了 1787 年初，除了南部的臺灣府（今日臺南市）、諸羅縣（今日嘉義縣）和中部港口鹿港，其餘地區都被攻陷，由天地會掌握地方權力。一時之間，林爽文的聲勢如日中天，他據守彰化縣府，自稱「盟主大元帥」。

為什麼抗清行動最後失敗了？

這場民變讓清廷上下頭痛不已，乾隆皇帝終於下定決心，他派出心愛的大將福康安，率領精銳的清朝軍隊，前往臺灣平定叛亂。只是，為什麼這場為期一年又兩個多月的行動，在福康安將軍和清朝精銳部隊來臺後，就瞬間扭轉戰情了呢？原來，在起義行動期間，各地農民雖然奮力對抗清廷，但是幫派的械鬥也沒有停止。

當時來臺開墾的漳州人和泉州人，時常為了搶奪生活資源而互相械鬥。因此泉州人不願意支援漳州籍的林爽文行動，更常藉機落井下石。像是以林湊為代表的泉州人率眾攻擊漳州人的村莊，甚至放火燒毀他們的房子，迫使更多漳州人加入林爽文的陣營，並開始反擊。雙方在叛亂期間仍然相互攻擊，後來泉州人甚至直接幫助清廷，全力守住根據地鹿港，讓福康安的軍隊得以順利從這裡登陸臺灣。

在各種衝突的夾縫中，還有一群人為自己的安全著想，不願意對抗清廷，也不想加入幫派鬥爭，這些人大多是居住在新竹以北的客家人。他們為了捍衛自己的家園，派出自組的「義民軍」阻擋天地會的行動，加上福康安將軍帶領的軍隊作戰能力很強，清廷官府的情勢由弱轉強。內憂加上外患，最後林爽文在臺灣中部山區被俘虜，送往北京，以叛亂罪接受懲罰。

生不逢時的社會運動家

林爽文事件失敗的原因並不單純，長期擾亂臺灣的分類械鬥隨著民變事件浮出檯面，無論是漳洲與泉州人的不合，或是閩粵漢人與客家人的爭執，都是林爽文行動的絆腳石。

這些協助清廷平定林爽文事變的泉州人和客家人，在林爽文被送往北京後，不約而同的都獲得清帝國政府的賞賜與榮譽，奠定他們家族在地方上的權勢。

對於清廷而言，林爽文無疑是個放肆攪亂臺灣秩序的叛亂分子；在泉州和客家移民的眼中，林爽文則是爭權奪利的敵對勢力代表。不過，在當時的漳州人看來，林爽文卻是個維護族群權益的大家長。

然而從現代的眼光，林爽文更像是一個帶領下層民眾反映對上層政府的不滿的社會運動家，他帶領組織抗議，形成一股可以與地方政府抗衡的力量。如果他生在現在的臺灣，或許就不用以這麼激烈的手段來對抗統治者，而有其他的選擇呢！

■〈平定臺灣得勝圖〉局部

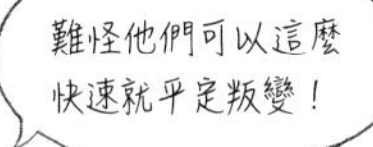

大事紀

1757 年—林爽文出生於漳州平和縣。

1773 年—跟隨父親來到臺灣。

1783 年—加入天地會。

1786 ～ 1787 年—率領抗清活動。

1788 年—被處死。

清帝國治理臺灣初期真的
有好多衝突發生啊……難
道沒有更多好事發生嗎？
哎啊！別緊張！後來臺灣因
為開放通商港口，也有許多
外國傳教士來臺，帶來不少
新刺激呢！

ξ第七章ξ

帶來新式醫療與教育的「多功能」傳教士

1878年的某個週日，「噹！噹！」教堂的鐘聲響起，人們面帶微笑的進入教堂，馬偕（George Leslie Mackay）也打從心底的感到歡喜：「這一切都是主的恩賜！」

講道的時間一到，馬偕站上講臺，先用英文對著住在淡水的外國人布道，接下來換成臺語，向臺灣人傳遞福音。每個人都專注的聽著馬偕講解聖經的內容，每一次聚會的會眾也越來越多，馬偕為此感到由衷的歡喜，畢竟他剛到臺灣傳教時可不是這樣的景況呢！

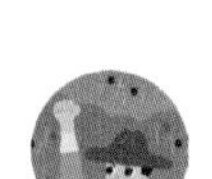 初來乍到的「黑鬚蕃」

1870 年，剛從神學院畢業的馬偕，立志要成為國外宣教士，所以便離開家鄉，在隔年抵達臺灣展開他的傳教工作。他剛來到淡水傳教時，對於當地居民來說，簡直就是個異類。雖然在清帝國治理臺灣期間，開始開港通商，已經陸續有外國人來到臺灣做生意，但這些人畢竟還是少數。路邊牧牛的孩子們只要一見到馬偕，總會一邊大叫：「黑鬚蕃！黑鬚蕃！」，並躲到大石頭後面偷看他，就連農民也對他投以異樣的眼光，常常對他指指點點。

為了順利傳教，馬偕努力學習漢文和臺語，希望可以透過相同的語言拉近自己與民眾的距離。他白天時常去找鄉間的農夫、小孩聊天，練習對話，並把新聽到的字句記錄下來；晚上回到家，則拿出英華字典研究漢字。在他不斷的努力下，五個月後，他終於學會臺語簡單的會話，並首次進行臺語講道。

馬偕第一次的臺語布道內容十分簡短，他簡單的向臺下的信眾說明「我要怎麼做才能得救？」那天，講堂來了很多人，有些人很認真的聽講，但是大部分的人是帶著嘲笑離去的。當時的馬偕了解大家還無法馬上接受基督教的教誨，所以他在教會持續進行臺語講道，也在禮拜堂外張貼基督教義海報。即使不斷的有人故意撕掉海報，他也不氣餒，只是重新製作一張海報，繼續張貼，直到再也沒有人來毀損它為止。

也有些人刻意把馬偕的書和聖經丟在地上，並大罵這些書籍的內容，然後揚長而去，但是他只把這些當成神對他的考驗。隨著時間過去，慢慢的有一些人開始來找馬偕談論宗教問題，想考倒他，不過馬偕都能夠舉出漢人熟悉的儒家、佛家與道家的內容一一反駁，這令原本要找碴的人感到驚訝，漸漸有部分的民眾被馬偕説服，主動找他學習基督教與西方知識，並受洗為基督徒，成為馬偕的學生，幫助他進行傳教事業。

行醫宣教雙管齊下

馬偕一直待在淡水傳教，大部分接觸的都是淡水地區的民眾。不過他覺得這樣的宣教範圍太小，能影響的人數有限，於是與學生開始在北臺灣旅行，擴展傳教範圍，並陸續在五股、蘆洲、汐止、新店、基隆、宜蘭等地區設立教會。途中曾經多次受到民眾攻擊，卻意外促成了馬偕的行醫布道之路。

在某一次的傳教路途中，馬偕經過一個村莊。當時的村民一見到他們，就非常不友善，一面大喊：「洋鬼子！怪物！滾出去！」一面朝他們丟石頭。村民在推擠的過程中，不小心撞倒一個孩子，他的頭部因此受傷流血。當時馬偕身上剛好有簡單的醫療工具，便動手替孩子包紮傷口。村民看到了馬偕用心照料孩子，才停止攻擊行為，從此開始對馬偕改觀。

■ 滬尾偕醫館，位於淡水

創辦學堂

馬偕早年傳教時就非常重視教育，他認為教育對於宣揚基督教是重要的途徑之一，也能培養更多的傳道人。1873 年馬偕為第一批學徒施洗後，就為他們規畫了一套嚴謹的訓練，讓學生們能隨時隨地吸收《聖經》的內容，並學習唱聖歌、講道與辯論的方法。他同時也教授學生認識動植物、烹飪與醫學、用藥知識，讓他們在傳教時也可以幫助更多臺灣民眾。

當時很多人都不曾接受過教育，所以後來馬偕與他的臺灣妻子張聰明共同創辦了「牛津學堂」與「淡水女學堂」，此後的十幾年中，馬偕一直在學堂教書，並四處傳遞福音，他希望藉此增進民眾的知識，並進一步使他們成為傳教人員，讓傳教事業得以不斷延續。這些西式教會學校為臺灣的教育帶來新血，設立女學堂則讓社會得以開始注意到女子教育的重要。

焚而不燬的馬偕精神

1900 年，馬偕不幸被診斷罹患喉癌，因為疾病的緣故，他漸漸無法發出聲音，身體逐漸衰弱。某一天，他感覺自己即將離開人世，於是趁著家人不注意時，突然跑到學堂大聲敲鐘，召集所有學生到學堂。學生將他扶進教室後，他一面在黑板上書寫，一面喉嚨發出：「嗬！嗬！嗬！」的聲音，吃力的上完他的最後一堂課。隔年，他便在淡水的家中離開人世。

回顧馬偕的一生，他曾為了在臺灣建立學校和醫館努力募款，他對北臺灣的醫療與教育方面的貢獻不容忽視。然而，透過他的日記卻可以發現，在他的心中最重要的還是傳遞基督福音。面對傳教過程中的種種挑戰，他從不退卻，他在日記中曾寫到：「攏是為基督，不是為錢，也不是為名聲。」更是他一生的寫照。

大事紀

1844 年—馬偕生於加拿大安大略省。
1870 年—畢業於普林斯頓神學院，向加拿大長老教會提出申請，自願為海外宣教師。
1871 年—抵達臺灣。
1872 年—於淡水開設教會，並在自家住所開始為民診療。
1873 年—開始率領學生於北部各地開設教會（持續至 1893 年）。
1878 年—與臺灣女子張聰明女士結婚。
1880 年—設立淡水偕醫館。
1882 年—設立牛津學堂。
1884 年—設立淡水女學堂。
1901 年—因罹患喉癌病逝。

§第八章§

臺灣官方主持建造鐵路推手

你知道臺灣島上第一條鐵路，是清帝國第一條由官方主持建造的鐵路嗎？為什麼當時如此先進的交通建設不是在清帝國本土建設呢？這都得歸功於臺灣巡撫劉銘傳。

究竟，為什麼他會積極說服皇帝，不惜在臺灣當地籌措經費也要蓋鐵路呢？難道背後有什麼不為人知的祕密嗎？這其實跟當時的時代背景有關……

火車頭是富國強兵的第一步嗎？

1840 年夏天，英國艦隊對著廈門發射第一發砲彈，鴉片戰爭正式開打，也開啟了中國接下來半個世紀多的紛紛擾擾。西方列強國家在中國領土上展開一場又一場戰爭，而清帝國則在各種戰敗條約中丟失一塊塊領土，賠上許多的金錢與資源。面對這樣的局面，當時的朝廷大臣無不痛心疾首，開始尋找能夠讓國家再次富強起來的辦法。

當時清帝國國內出現了要求改革的聲浪，有些人認為清帝國之所以會輸給外國列強是因為中國沒有洋槍、洋砲等最新科技，但是也有人覺得問題出在舊制度上。當朝廷各個大臣紛紛爭論著該怎麼進行改革時，北洋通商大臣李鴻章卻注意到開放通商後，有許多外國人向清帝國提出要求，希望能在中國修建鐵路。他覺得這件事情不單純，於是就拒絕了外國人的請求，並回頭對光緒皇帝說：「與其讓洋人在內地開設鐵路，掌控中國的交通，不如自行修建。」

1876年英國商人未經批准建造的吳淞鐵路，之後被拆除。

李鴻章認為中國幅員廣大，只要有鐵路，就能讓全國物資和人員在廣大的土地上快速流通。但是，畢竟「建造鐵路」這樣的大工程，勢必得投資一大筆錢，這對必須賠款給各個西方國家的清帝國是一筆不小的負擔，必須慎重考慮才行，所以皇帝並沒有馬上答應開始修建鐵路。

李鴻章的想法也深深影響了曾經跟隨他一起到上海並肩作戰的淮軍領袖劉銘傳。他們在與法國軍隊聯手平定太平天國之亂時，曾見識法國軍隊的武器和裝備。劉銘傳對於法國人的洋槍、洋砲等西洋科技深有好感，而李鴻章想改革及建造鐵路的理念，也讓劉銘傳耳濡目染，他們認為，中國如果要強大，應該努力學習西方的科技，其中最重要的就是「鐵路」。

滿懷理想的劉銘傳也向皇帝報告，指出如果鐵路能建造完成，清帝國十八個省分一定能連成一氣，不管是槍砲與士兵都能快速移動，面對敵人再也不會措手不及。但是，缺乏資金的現實，加上不少大臣質疑的情況下，中國鐵路建設始終難以開始。山不轉路轉，後來劉銘傳終於有個機會可以實現他的理念了——到臺灣建鐵路。

劉銘傳夢想真的實現了嗎？

1884 年，法國軍隊攻擊臺灣基隆，希望逼清帝國同意談判。當時臺灣由福建管轄，因此身為福建巡撫的劉銘傳被派來臺灣抵禦法軍。戰爭結束後，1885 年，臺灣由「府」升格為「省」，劉銘傳也留在臺灣擔任第一任巡撫。

臺灣初建省，身為第一任巡撫的劉銘傳自然得扛下建設臺灣的責任。這下子，他終於有機會實行夢想很久的「鐵路」建設。

當時戰爭剛結束，雖然臺灣行政地位提升了，清帝國仍然沒有多餘的經費可以支應臺灣建設鐵路。

不過，經費問題是阻擋不了劉銘傳的！

劉銘傳回報給皇帝，建造的經費會從當地籌措。他重新清查當時臺灣的田地和賦稅，抓出那些逃稅的不肖分子，提高政府的收入。此外，他很快找到新的金主：商人。

一直以來，臺灣因為地理位置的關係，有許多商人願意來臺灣做生意。但是臺灣的河流多為東西向，阻斷了陸上交通，雖然有河運，但是運輸速度緩慢，還是造成許多不便。對於商人來說，如果能有一道由基隆到臺南的鐵路，就能加速貨物的運送。於是，他們與劉銘傳一拍即合，展開了最早的 BOT 合作案，由官方授權和監督，商人則負責承辦建造。

這一次，劉銘傳想要架設鐵路的夢想終於能夠實現，他找了德國、英國的外籍工程師來臺監造，並購買了當時最新的蒸汽機車頭騰雲號和御風號。從基隆至臺北，全長 28.6 公里的鐵路在 1891 年率先完工，成為臺灣第一條鐵路。

始料未及的結果

鐵路完成以後，從此就每天載著煤礦、載著槍砲以及劉銘傳的富國大夢，快樂的奔馳在鐵軌上了嗎？——才怪！事情才沒有這麼簡單！

雖然劉銘傳非常努力找經費蓋鐵路，不過，真的開始動工之後，他才發現鐵路建設需要的資金遠比原先規劃的多得多。資金短缺的緣故，也讓清帝國時期的臺灣鐵路建設最後僅到新竹就因為經費不足而停工，沒有依照劉銘傳原本的計畫，縱貫整個西部臺灣。另一方面這條鐵路開通之後，也因人事管理，以及建造時的一些缺失，導致這條品質不良的鐵路使用率始終不高，營運也持續虧損。

不過，當時生病的劉銘傳無法再等待，他還來不及看到自己一手催生的西部縱貫鐵路完工，就回中國去了。而後來接手的臺灣巡撫也只完成了臺北到新竹路段後，就未再往南延伸了。

雖然劉銘傳未能完成臺灣西部縱貫鐵路的計畫，他想要靠鐵路達到富國強兵的夢想也沒有在臺灣完成，但卻讓臺灣的重要建設踏出第一步，這段期間更是清帝國治臺最積極的時期，而臺灣的縱貫鐵路建設也在後來日本治理期間完成！

大事紀

1836 年—劉銘傳出生於安徽肥西縣。
1840 年—第一次鴉片戰爭。
1850 年—太平天國之亂興起。
1859 年—組成地方團練對抗太平天國。
1862 年—加入曾國藩軍隊。
1863 年—被任命為直隸提督，是清朝軍隊的最高軍階。
1884 年—中法戰爭爆發，劉銘傳以福建巡撫身分督辦臺灣軍務。
1885 年—臺灣建省，擔任首任巡撫。
1891 年—返回家鄉。
1896 年—於家中病逝，享年 60。

歷史故事延伸影音 

Taiwan Bar -【臺灣吧第 1 集】
鬼島現代化！劉銘傳與蔣經國，的中間。

第九章

臺灣歷史的見證者

「幾週以來，人民不斷面對臺灣民主國士兵的威脅，那些雄赳赳、氣昂昂的日軍卻令他們耳目一新。」（記者 禮密臣報導）

1894 年清朝在甲午戰爭敗給日本，隔年簽署《馬關條約》，將臺灣、澎湖割讓給日本。日本軍隊登陸後，從臺灣北部一路往南，與島上抗日勢力作戰。這段日軍接收臺灣的過程，全都被一位來自美國的戰地記者禮密臣（James W. Davidson）記錄下來，並在國外媒體上報導。為什麼他當時會來到臺灣，獲得第一手資料，寫下報導告訴全世界呢？

另類的熱血探險家

不同於現代記者多半受僱於固定媒體公司，一百多年前的記者，大多數是憑著一股熱忱到世界各地遊覽的自由撰稿人。尤其是那些穿梭戰場的戰地記者，更需要過人的毅力與勇氣，不畏艱難和危險，記錄戰爭現場實況。也因為這些另類的「探險家」，讓我們得以透過第一手的記錄報導，了解世界上大小戰爭的歷史。

出生於 1872 年的禮密臣就是這樣一位具有冒險精神的熱血青年。他從軍校畢業後，就加入北極探險隊，但卻不幸在途中凍傷，只好結束他的極地探險之旅。

極地探險被迫中止後，他原先打算轉往蒙古、西藏探險，但正巧東南亞戰爭不斷，因而改向多家報社毛遂自薦，希望成為東亞的戰地記者以賺取旅費。後來在前輩的建議下，他搶在日軍快要來接收臺灣前抵達，希望可以領先其他西方記者，取得第一手的獨家。他更獲得當時的臺灣巡撫唐景崧同意，開始隨著清帝國軍隊記錄報導。

這段期間，禮密臣在臺灣四處觀察，用他的眼睛和筆見證臺灣民主國的建立和滅亡。從禮密臣的報導中不難發現，他認為當時的臺灣民主國只是官員們的一場遊戲，沒有百姓的參與，加上軍隊毫無秩序可言——禮密臣甚至形容他們只是一群身穿骯髒紅衣的烏合之眾，他也忠實記錄了當時軍隊在作戰中，卻攜帶一堆雨傘、扇子、燈籠等無意義的行李。最令禮密臣百思不解的是，當民主國的總統唐景崧潛逃回中國，臺灣民主國名存實亡後，臺北城陷入一片混亂，原本的民主國士兵卻搖身一變成為凶殘的強盜。禮密臣用他的筆寫下他對這些士兵的觀察：「這些人毫無悲憫之心，面對傳出笨拙哀號的同胞，只是袖手旁觀、哈哈大笑，讓他痛苦致死。」如實記錄下因為戰爭而扭曲的人性。

由於禮密臣第三者的中立身分，也讓當地商人相當敬重。當時一些漢人富商擔心會受到士兵攻擊，因此和一些西洋商人商量，希望由他們和禮密臣一起前往與駐紮在基隆的日軍交涉，請他們儘快來接收臺北城。當禮密臣第一次與日軍接觸時，他對於會說流利英語的日本士兵感到驚訝，也覺得穿著挺拔整齊、有禮貌的日軍令人耳目一新。後來日軍順利進入臺北城穩定秩序，接著繼續南下進行接收工作，禮密臣則成為日本的隨軍記者。

讓世界認識臺灣

因為成為日軍的隨行記者，禮密臣在接收臺灣的過程中，獲得許多第一手資訊，他以一個目擊者的身分，將所見所聞，寫成報導，並加上評論，還將一篇篇的報導投稿到當時亞洲和歐美等地的英文報紙。

他譏諷臺灣民主國軍隊像是毫無戰力的「巨嬰」；對比有著精良武器、秩序良好的日本軍隊……這些全都藉由他的報導，傳播到世界各地。

等到日本終於平定臺灣島上主要的反抗勢力後，禮密臣則以美國駐臺灣領事的身分留在臺灣，並開始撰寫《福爾摩沙島的過去與現在》一書。他覺得，因為戰爭緣故，臺灣成為焦點，卻沒有任何介紹臺灣的英文書籍。而他搜集了許多當時的重要文獻佐證，加上自己的目擊者身分，讓這本書更顯得重要！這是一本以英文書寫的臺灣歷史專書，將臺灣在日本統治前的期間、日軍接收的過程，以及日本的統治成效做了清楚的介紹，也是英語世界認識臺灣的主要依據之一。對於這段臺灣歷史的紀錄，禮密臣有相當大的貢獻。

或許有人會認為禮密臣過度美化日本政府的一切，不過在閱讀禮密臣的報導時，千萬別忽略當時的時代背景。在十九世紀中期以後，歐美各國倚仗工業化的成果，利用武力在亞洲與非洲進行殖民統治，因此他的價值觀和許多殖民者一樣。就像禮密臣曾在一篇報導中寫道：「福爾摩沙擁有大好的未來，但必須先廢止中國人的統治。……日本人會和平占領，而進步與文明的種子將會播種於這亞洲的花園。」這段話其實就是當時殖民者的普遍想法——殖民者會讓被殖民者更加進步與文明化，所以禮密臣將日本視為「讓世界變得更美好」的堅強盟友，而臺灣在他的筆下，也以「日本成功殖民地」的身分被世界所認識。

大事紀

1872 年—禮密臣出生於美國。
1893 年—參加北極探險隊。
1895 年—3 月抵達臺灣。
1895 年—6 月至 11 月隨日軍作戰況報導。
1896 年—任美國駐淡水領事代辦。
1898 年—任美國駐淡水領事。
1903 年—出版《福爾摩沙的過去與現在》。
1903 年—7 月離開臺灣。
1933 年—過世。

§第十章§

臺灣原住民研究第一把交椅

1895 年冬天，一艘日本輪船隨著汽笛聲駛入基隆港，當碼頭上的工人忙著協助裝卸貨物時，一位穿著西裝、理著平頭的日本青年靜靜的踏上臺灣島，默默的觀察著周圍的人事物。他是伊能嘉矩，隻身來到臺灣，只為了要研究臺灣。

許多初到臺灣的日本人除了風土民情不習慣外，各地頻繁的武裝抗日更讓他們直呼這裡是「鬼界之島」。為什麼伊能嘉矩無懼於恐怖鬼島，甚至決定離鄉背井前來研究臺灣原住民呢？

人類學是一切的開始

1867 年，伊能嘉矩出生於日本東北，隔年日本開始推動明治維新，大量引進西方的科技和制度。伊能嘉矩在求學的過程中，不僅接受日本傳統教育，也有機會接觸來自西方的新學問，其中剛傳入日本的人類學更讓伊能嘉矩情有獨鍾。人類學是「研究人類」的學問，非常看重觀察世界各地人類的語言、文化、習慣和歷史，伊能對東亞不同人種之間的關係特別感興趣。當臺灣成為日本的殖民地後，伊能嘉矩便自告奮勇前往臺灣，希望可以好好研究臺灣的原住民。

自在穿梭鬼島的研究者

初來臺灣的日本人對於臺灣風土並不熟悉，加上炎熱而潮溼的熱帶氣候，以及惡劣的衛生條件，就像是個傳染病的溫床──層出不窮的瘧疾、霍亂、天花、痢疾等傳染病，讓日本人吃了不少苦頭，加上原住民對日本政府的武裝抵抗，更讓日本人膽戰心驚，稱臺灣為「鬼界之島」。這個稱呼不是浪得虛名，伊能嘉矩才剛來到臺灣不到兩個月，就有派駐在臺北芝山巖的同事在抗日暴動中遭到殺害。不過，他沒有因此打退堂鼓，在情勢稍微穩定後，他立刻就在全臺各地展開原住民調查。

其中，最長的一次考察之旅，伊能嘉矩花了一百九十二天，沿著中央山脈移動，對不同部落進行採訪和記錄。在採訪的過程中，伊能非常尊重與部落頭目的談話，從不隨意插嘴，友善又誠懇的態度，讓他和不少原住民成為好朋友。有一次，泰雅族頭目 Watan Taimo 招待伊能嘉矩一行人吃晚餐，酒酣耳熱之際，突然有個喝醉酒的部落青年提著獵刀前來敲門，高喊：「殺日本人是勇士！」此時的伊能早就醉得不省人事。幸好，頭目夫婦極力斥退喝醉酒的青年，伊能才保住一條小命。隔天，頭目還揶揄伊能睡得太熟了，差點把命都給睡掉了。

還有一次，伊能在賽夏族頭目 Watansset 家中訪問。不料當日晚上，有個鄰社青年上門談判，要求 Watansset 頭目交出這些日本人的項上人頭，頭目只好號召村子裡的戰士全副武裝護送伊能離開。像這樣差點在調查的過程中遇險的事件層出不窮，伊能也感嘆：「回想起來，能夠安全脫離殺身危機，靠的只是運氣和那些頭目的知遇之恩，救了自己一命！」

伊能回報這些頭目的是——認真的為臺灣原住民留下紀錄，他要求自己在調查時一定要遵守三個原則：

第一、當天觀察到的事情一定要在當天做紀錄。

第二、調查過程中，務必要進行完整而詳細的觀察。如果事後記錄時有任何不明白的地方，一定是當初觀察得不夠仔細。

第三、仔細觀察到的事情，要完整詳細的記錄下來。

伊能將自己在山林中的所見所聞進行詳實的觀察和記錄，因為他知道臺灣原住民文化正在快速流失。更重要的是，伊能嘉矩推翻過去清帝國時期將原住民大略區分為有繳稅的「熟番」，以及沒有繳稅的「生番」的分類方法，他根據不同部落的語言、習俗以及歷史文化，將原住民區分為泰雅族、阿美族、布農族、曹族（今天的鄒族）、排灣族、漂馬族（今天的魯凱族）和平埔族等八個族群，而這種分類方法一直沿用到現在。

自在穿梭臺灣山林裡的研究者

其實，伊能嘉矩並不是第一個為臺灣原住民留下文字紀錄的人，十七世紀的尤羅伯和十九世紀的馬偕都曾在傳教過程中記錄了原住民生活的樣貌。不過，伊能嘉矩卻是第一位有系統、有組織的調查並記錄臺灣原住民的學者。他做研究的方法其實很單純，就是實地深入部落並仔細做紀錄。不過，在他之前，並沒有人願意冒著生命危險來到臺灣，進行這麼仔細的田野調查。他努力不懈的態度終於使他由沒沒無名的青年成為日治時代臺灣的重要學者。

他調查的基礎和分類邏輯，成為我們今日習慣的原住民族區分方法。更重要的是，因為他的研究，世人開始認識臺灣原住民的不同族群。除了伊能前期的原住民調查之外，他後來更擔任「臨時臺灣舊慣調查會」幹事，協助臺灣全島的歷史與風俗調查記錄。

即使離開臺灣，回到日本後，他依舊專心進行文獻編纂的工作，認真又嚴謹的對待不同原住民部落的文化，甚至還在自己的故鄉籌辦一間以臺灣為主題的博物館，向日本人介紹臺灣島的歷史文化，並花二十年的時間陸續出版《臺灣蕃政志》、《領臺十年史》等十多本與臺灣相關的著作，成為後世臺灣史學者研究的寶貴資料。

大事紀

1867 年—伊能嘉矩出生於日本東北遠野，同年，明治天皇下令改革。
1887 年—就讀岩手師範學校。
1893 年—加入「東京人類學會」。
1895 年—來臺，就職於總督府民政局。
1897 年—至原住民部落考察。
1904 年—出版《臺灣蕃政志》。
1906 年—回到故鄉遠野。
1925 年—病逝。

≀第十一章≀

運用生物學治理臺灣

1895年，日本從戰敗清帝國手上取得臺灣的治理權後，臺灣的問題就從沒停過。也因為治理初期實在太累、太崩潰了，所以吵著想要放棄臺灣的聲浪不少，不過，當時日軍參謀本部參謀兒玉源太郎卻持反對票，並自願接任臺灣總督。

他帶著自己的得力助手後藤新平來到臺灣，並將許多重要的工作託付給臺灣民政長官後藤新平，而後藤也真的為臺灣帶來嶄新的風貌。究竟，後藤新平是什麼來頭呢？

來臺的契機

1895 年，日本從戰敗的清帝國手上取得臺灣的統治權後，臺灣的問題就從沒停過。治理初期，瘟疫、瘴癘已經讓許多日本人傷亡，再加上人民時不時就來一場抗日行動，還有身處山林裡那些難以管理的原住民……層出不窮的困境問題都讓當時負責治理臺灣的總督和官員們疲於奔命。對於當時的日本政府來說，臺灣宛如是一隻擠不出奶的牛，還得花上大把大把的錢照顧牠，才能讓牠可以慢慢成長！

所以第三任臺灣總督乃木希典便向日本國會提議，要將臺灣賣給英國或是法國，甚至賣回給清帝國。正當眾人吵著想要放棄得來不易的殖民地，日軍參謀本部參謀兒玉源太郎卻持反對票，並自願接任臺灣總督。

當時，兒玉源太郎因身兼數職，沒辦法長期定居臺灣，所以許多重要的工作是交託給臺灣民政長官後藤新平。後藤新平主張運用自己所學的「科學精神」和「生物學原則」治理臺灣。為什麼一個政府官員會這麼重視科學精神和生物學原則呢？一切得從後藤新平的經歷說起。

從醫人到治理國家之路

後藤新平，1857 年出生於日本東部的水澤藩（今日岩手縣奧州市水澤區）。他年幼時曾學習漢學，當地參事阿川裕之非常賞識他，並支持後藤新平前往福島縣須賀川醫學校就讀，畢業後後藤更到德國留學，取得醫學博士學位。

1898 年後藤隨著兒玉源太郎來臺灣擔任民政長官，在此之前，他的生活和一般的醫生沒什麼兩樣，他平日看診，戰爭時則前往戰地支援護理傷兵，

25 歲就擔任醫學校的校長及醫院院長。可想而知，後藤新平實力不凡！

他的理想不僅止於行醫，更積極推廣建立現代化的公衛制度。他曾建議國家要設立衛生局，免費推動衛生知識，加強國民衛生觀念與習慣，並執行影響民生的公衛政策。而後藤新平發表的《國家衛生原理》這本書，看似與醫療衛生有關的書，實際上更是他以生物學概念為基礎所提出的國家治理觀點。他認為，國家就像一個人體一樣，而國民就是人體裡的一部分。為了要能防範危險，管理者必須善用各種學科進行探究，包含風土習慣、生活民情等都不可不知。

當時歐美國家的政治學者也將生物學「適者生存」的論點應用在國家治理上，主張透過國家控制人口，壓抑不適者的繁殖。所以後藤新平在這樣的時代背景下，運用自己所學，以生物學來思考政治管理，也不是標新立異毫無根據的理想。

他對政治展現極大的興趣，也和當時的政治人物多有來往，在擔任衛生局長期間，積極推動各項政策，像是針對臺灣量身訂做的「鴉片漸禁政策」等。因此，當兒玉源太郎接任臺灣總督時，後藤新平也獲得機會，來到臺灣實踐他的生物學治理理念。

展開嚴謹的調查

後藤新平來到臺灣後的第一件事，就是「了解臺灣人」。他曾用比目魚來形容自己治理臺灣的想法，他說：「治理臺灣絕對不能只是套用日本經驗。就像比目魚一樣，比目魚的兩眼長同一側，如果硬要把比目魚的眼睛裝在身體的兩側，那就違反生物學原理了。所以，要治理臺灣，必須先了解臺灣人的習性，依據他們的習性提出一套管理辦法。」

為了了解臺灣，後藤新平展開一系列的調查活動，像是「土地調查」是為了確認土地產權；「戶口普查」則針對民族、分布、人口數、人民遷移調查，以便掌握臺灣人的屬性。此外，後藤新平更成立了「臨時臺灣舊慣調查會」，邀請許多學者前來臺灣參與。舊慣調查除了針對原住民的分布、生活文化、社會風俗等人類學研究之外，更著重在農工商經濟相關舊慣，以及臺灣這座島嶼上的各種律法。後藤新平認為透過這些由臺灣總督府發起的調查，可以讓統治臺灣的官員們更認識臺灣人民，為臺灣總督府治理臺灣的施政打下重要的基礎，也為臺灣的文化、政治制度研究留下珍貴的史料。

對症下藥就對啦！

後藤新平透過各種詳實調查報告，更了解臺灣，之後便開始對症下藥。他想方設法讓日本國會同意發行公債，透過「臺灣事業公債法」讓本來需大量倚賴日本金額補助的臺灣，能夠真正財政獨立，且有餘力發展現代化建設。於是，在他任內，臺灣設了將近一萬公里的道路，也完成臺灣縱貫鐵路、阿里山森林鐵路等重要建設；在許多城市建設下水道，提升人民衛生觀念，讓臺灣當時的現代化設施甚至比日本更先進。另外，他也提倡持有醫生診斷證明的人，才能在規定的藥局購買鴉片，並課重稅，因此臺灣鴉片中毒的人數也從十六萬減少到兩萬多人。

在基層管制上，後藤新平廢除原本為了防範抗日游擊隊而施行的「三段警備法」，改用綿密的警察機制深入民間來管理治安。這些措施後來都發揮極大成效，連那些讓前幾任臺灣總督大為頭疼的抗日游擊隊也逐漸消聲匿跡。

後藤新平在臺灣任內，積極建設臺灣，直到 1906 年「南滿洲鐵道株式會社」成立，他才離開臺灣，前往滿洲擔任該公司首任總裁，開始人生的新章節。不過，他在臺灣實踐的生物學治理原則，將政治與科學結合的理念，卻深深影響日本人治理下的臺灣，也讓臺灣的農業、教育、衛生等制度快速起飛。

大事紀

1857 年—後藤新平出生於日本水澤藩（今岩手縣奧州市水澤區）。
1874 年—進入福島縣須賀川醫學校學習，取得醫師資格。

1889 年—發表《國家衛生原理》。
1892 年—任日本內務部衛生局局長。
1895 年—擔任臺灣總督府衛生顧問。
1898 年—和第四任臺灣總督兒玉源太郎抵達臺灣，擔任民政長官。
1901 年—成立臨時臺灣舊慣調查會。
1904 年—臺灣財政自主，停止日本補助。
1906 年—離開臺灣，擔任南滿洲鐵道株式會社首任總裁。
1929 年—逝世，享年 72 歲。

歷史故事延伸影音 

Taiwan Bar -【臺灣吧第 0 集】
賣臺？後藤桑の如意算盤

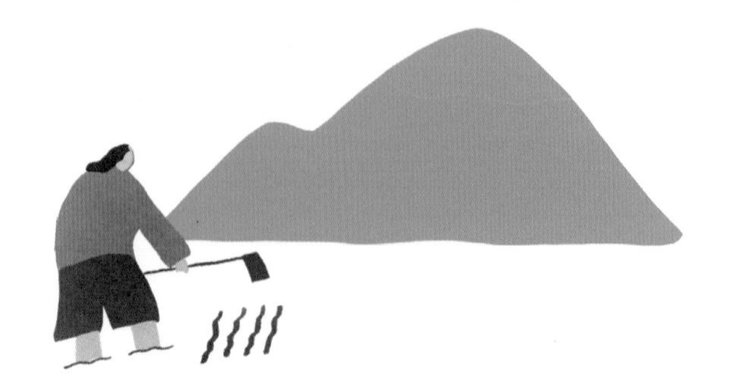

第十二章

霧社事件的犧牲者

1930 年，賽德克族馬赫坡社的頭目莫那魯道帶領族人武裝抗日，當時，身為賽德克族人，被日本政府重點栽培的花岡一郎選擇留下遺言後，切腹自殺。

擔任警員的花岡一郎為什麼選擇在霧社事件後自殺呢？他和霧社事件有關嗎？為什麼他會成為日本政府重點栽培的人，畢業後也能被分派警察職務及兼任教師呢？一切的故事得從日治時期的理蕃政策談起。

日治時期的理蕃政策

日本一開始治理臺灣時，採取「順者撫之、逆者剿之」的理蕃政策管理原住民。對於漢化不深，且文化鮮明的高山原住民，早期多半以武力鎮壓，到了後來才開始運用「蕃童教育所」和「蕃人公學校」作為主要宣傳教化機構，希望可以盡可能革除一切原住民的傳統習俗。日本政府為了同化原住民，把他們認為的「文明」強加到原住民身上，在許多原住民部落裡進行授產、教育、交易和醫療等方面的籠絡措施，甚至安排原住民頭目到日本觀光，希望讓他們心生畏懼，轉而追求文明生活，其中，賽德克族中的荷歌社更是主要的同化對象。

另外，為了能更有效管理原住民，日本政府也推行「和蕃政策」，指定負責管理部落的警察與頭目的女兒或妹妹結婚，不過卻經常發生警察拋棄妻女的事件，而依照原住民族的文化習慣，這些被丈夫拋棄的女子被視為不祥之人，不能再回到部落生活，只能自食其力在外生活，因而引起原住民反彈。除此之外，當時日本政府也常強迫原住民進行勞役工作，警察常將原住民視為奴隸般打罵，又常以各種藉口扣押原住民微薄的工資。只能自食其力在外生活，久而久之，原住民對日本政府及警察有許多怨言，這些不滿情緒持續累積，終於在 1930 年爆發大規模的原住民反抗行動——「霧社事件」。當時，在事件發生現場，有位身分特殊的原住民，他既是賽德克族人，同時也是個警察。雙重的身分也讓他注定成為這場時代悲劇最典型的犧牲者——他是花岡一郎。

一步一步成為模範蕃的日子

出生於荷歌社的花岡一郎，原名達奇斯 ・ 諾敏，他從小頭腦清楚、身體健全， 而且個性溫順，被選入埔里尋常高等小學校中就讀，並改名為花岡一郎。接著， 他又在日本政府的安排下，進入臺中師範學校講習科就讀。

對於沒有顯赫家庭背景的花岡一郎來說，能被日本政府選為培育對象，得以接受高等教育的機會，是莫大的機會和榮耀，因此他對於栽培他的日本政府十分感謝，更打從心底認同日本文化，也順理成章被訓練成一個生活思考很像日本人的賽德克人。

對日本政府來說，花岡一郎是日本展現理蕃政策的良好成果。高學歷的背景，加上是政府刻意培育的樣板人物，當然會被日本政府宣傳利用。他畢業後，並沒有像其他同學到各地國民學校擔任教師，而是被指派回到部落擔任低階的警務人員，並兼任蕃人公學校的教學工作，成為首位臺灣原住民教師。當時的日本政府期許能透過這位「模範蕃」教化其他「蕃人」，並管理其他原住民。另外，花岡一郎還被安排和另一位「模範蕃」川野花子結婚，企圖彰顯政府的理蕃政策非常成功。

到底誰是野蠻人？

花岡一郎一直被灌輸的是：日本人是文明代表的觀念，日本人要幫助同為天皇子民的臺灣人變得文明，尤其是原住民，一定要改掉野蠻的傳統習俗，才配作為天皇的子民。

他對此深信不疑，回到部落擔任警員時，也希望自己能協助「教化」族人，他相信只要族人變得文明，就再也不會受到差別待遇了。

但是，隨著他在部落擔任警員的時間越久，受到的衝擊也越大。那些「文明」的日本籍警察時常鞭打、辱罵族人，強迫他們以低廉的工資工作；「文明」的日本籍警察也會欺侮原住民女子，甚至逼迫她們在宴會上陪酒——這些事情都讓花岡一郎產生很大的疑惑：做出這些行為的日本人不野蠻嗎？以前學校教的都是假的嗎？

一場糾結的悲劇

種種複雜糾結的情緒在霧社事件爆發後，讓花岡一郎陷入更深沉的矛盾。日籍警察對原住民的歧視和壓迫，同樣身為警員的他都看在眼裡，他也清楚知道那些衝突導致大規模的抗日行動。他是賽德克族的一分子，理應加入反抗的行列；但是身為一個警員，他該以什麼立場面對一直栽培他的日本政府。想來想去，好像不管站在哪一邊都不對。

最後，他決定自我了結，他和另外一位模範蕃花岡二郎一起在宿舍留下遺書，寫下：「我等必須離開這世間，因族人被迫服太多勞役，引起公憤，所以發生這起事件，我等也被蕃眾拘捕，不知如何是好。昭和五年十月二十七日上午九時，由於蕃人在各個據點守備，郡守以下職員全部死於公學校。」然後回到部落。當時花岡一郎的族人已經集體上吊自殺，依照他們的傳統習俗，在大樹上自縊，靈魂才會回歸祖靈的領域。但花岡一郎親手結束妻子與幼子的性命後，再切腹自盡。

花岡一郎死後，悲劇並沒有因此落幕，日本政府仍利用他宣傳撫育政策的效果，敘說他堅持著自己日本警員的身分，而沒有參與抗日行動。諷刺的是，在二次大戰戰後，中華民國政府又轉化他的形象，將他塑造成抗日民族英雄。

數十年匆匆而過，隨著霧社事件的珍貴史料陸續被發現，臺灣也走向真正的民主化，而花岡一郎充滿矛盾的悲劇人生，終於有機會獲得較真實的詮釋。

大事紀

1908 年—出生。
1921 年—進入埔里尋常小學校就讀。
1925 年—進入臺中師範學校講習科就讀。
1928 年—畢業後回到霧社分室擔任乙種巡查。
1930 年—霧社事件爆發，自殺身亡。

歷史故事延伸影音 

臺灣吧 -【第 1.5 集】
摩登原住民

日本做的調查好像是要澈底了解臺灣呢！

沒錯！其中日本對戶口調查除了工作、種族、家族國籍等基本資料外，還有特殊事蹟註記喔！像是是否是吸食鴉片持許者，或是否纏足等。

調查得那麼仔細，資料應該有好好保存吧！萬一個資外洩不就糟了！

第十三章
社會運動實踐革命家

1921 年，日本政府統治臺灣已經二十七年，蔣渭水醫師針對當時的臺灣發表了一份診療書，他認為臺灣因為智識的營養不良，所以有非常多的問題，只要服用「學校教育、圖書館、讀報社」等處方，二十年一定可以痊癒。

那一年，他在臺北市大稻埕成立的臺灣文化協會，也參與臺灣議會設置請願活動，也因此被日本政府認為他煽動人民。雖然蔣渭水因此進出監獄十多次，他卻不斷的努力向日本殖民政府爭取臺灣人的權益……

從乩童到醫生

蔣渭水出生於宜蘭，他的父親是在廟口替人卜卦的算命師，起初不願意讓小孩接受日本教育，便將蔣渭水送到私塾讀書，學習漢文。但蔣渭水不久後就因家庭經濟關係離開私塾，到廟裡拜師學藝，當乩童賺錢貼補家用。

後來，蔣渭水的父親又改變想法，認為要讓小孩接受日本教育才會有較好的發展，十七歲的蔣渭水才得以進入宜蘭公學校就讀（今日宜蘭市中山國小），但他只花了兩年就從公學校畢業。二十歲時，又考上臺灣總督府醫學校（今日為臺灣大學醫學院前身）。

在醫學校的日子，是蔣渭水一生中最熱血的時期。他曾自嘲自己就是在這段時間染上了「政治病」，並結識許多有志之士，這些人後來也都和他一同參與爭取臺灣權益的社會運動。

變身社運領袖

蔣渭水從醫學校畢業後，開設了大安醫院（位於今日臺北市延平北路），同時經營春風得意樓酒家。他經常邀請和相同理念的知識分子，到春風得意樓討論改革臺灣社會弊病的方法。

後來蔣渭水結識了來自霧峰林家的林獻堂，並和他一同推動「臺灣議會設置請願運動」，希望以和平請願的方式，爭取設置臺灣的民意機構，由臺灣人民投票選出自己的民意代表。只是，這些請願運動大部分是由知識分子推動的，蔣渭水認為，要讓臺灣人擺脱不平等的待遇，還是必須從一般大眾著手。所以，他號召醫學校、師範學校等學校的學生，組織「臺灣文化協會」，希望透過文化協會的活動來接近大眾，促進臺灣文化的發展。

另外，蔣渭水還創立第一份臺灣人的報紙《臺灣民報》，並以它作為宣傳工具，向人民推廣歷史、法律、公共衛生等知識，同時在各地設立「讀報社」，這些讀報社就像是小型圖書館。由於當時臺灣人的識字率不高，所以蔣渭水也會在讀報社舉辦「演講會」，以口述的方式，轉述報紙內容及傳播新知給一般民眾。

以文化活動偽裝政治運動

最初成立文化協會時，為了避免遭到查禁，蔣渭水還特別去向警務局長報告說明協會絕不進行「政治運動」。不過，其實他的理想是希望藉由協會舉辦的文化啟蒙活動，喚醒臺灣人的民族自覺，進而能反抗日本政府的政治壓迫和經濟剝削。

相較於行動比較保守的林獻堂，蔣渭水與蔡培火等人還另外成立「臺灣議會期成同盟會」，希望以更有組織性的團體，推動議會設置請願運動。他們趁當時的皇太子（即後來的昭和天皇）來臺灣時，高舉請願布條，希望可以引起日本皇室的注意與支持，只是沒想到卻引發日本政府的不滿，開始在全臺進行大規模的搜索，蔣渭水與蔡培火等人也遭到逮捕。但日本政府這些一連串的查緝活動卻讓更多臺灣民眾關注設置議會請願運動。只是，部分臺灣文化協會的成員並不贊同這些看似激烈的政治活動，最後蔣渭水與林獻堂只好離開文化協會，另外籌組新的組織。

三大目標
臺灣民眾黨特刊
大附錄
第一冊
臺灣民眾黨宣傳部發行

■臺灣民眾黨發行的特刊，上面有黨旗與黨旗和臺灣文化協會的三大目標。

第一個臺灣人的政黨

不過，想要再次在日本總督府眼皮子底下成立一個新組織是不容易的，更何況是已經被總督府盯上的蔣渭水。經過幾次換名、修改黨綱的一番努力，他們保證新的組織絕對不是由蔣渭水主導及支配後，終於獲得總督府「有條件」的同意，順利成立「臺灣民眾黨」。

在政治上，臺灣民眾黨主張「確立民本政治、建設合理的經濟組織、改廢社會之缺陷」，並持續推動議會設置請願運動。在民眾生活文化推動上，他們協助農民、工人爭取自己的權益，甚至提倡男女平權，革除纏足與吸食鴉片等陋習。

成立政黨後已經多次進出監獄的蔣渭水沒有因此停下社會運動的腳步，他對於日本政府實行的鴉片專賣制度和鴉片漸禁政策十分不滿，認為日本政府是透過鴉片買賣來剝削經濟和荼毒臺灣人的健康，於是他發了一封電報給國際聯盟，控訴日本政府的鴉片政策，之後更在 1930 年霧社事件爆發後，將日軍以毒氣鎮壓原住民的消息傳至國際與日本國內，使得總督府受到來自各方的指責，這些行動都直攻日本政府痛點，於是在 1931 年後，臺灣總督府開始嚴格查禁臺灣的社會運動團體，臺灣民眾黨因此被迫解散。不久後，這位臺灣民主運動先驅、社會運動實踐革命家蔣渭水也因病去世。

1920 年代的臺灣，因為有蔣渭水等先知者的提倡下，展開一股社會運動的改革風潮。雖然最後在日本政府的壓制下，始終未能真正成立民選議會，但是，他們的努力仍喚起了臺灣人的民族自覺意識，漸漸有越來越多人為了「臺灣人的臺灣」而努力。

診斷證明書

姓名 臺灣島　　病例編號 00001

性別 男　　年齡 移籍現住址已二十七歲

聯絡地址 東經120~122度。
北緯22~25度。　　職業 世界和平第一關的守衛

病情描述 應該有很強的思考力，卻無法回答常識性的問題，聽到哲學、科學或世界局勢的問題，更是頭暈目眩，精神生活貧瘠，習性懶惰，意氣消沉，了無生氣。

診斷 世界文化的低能兒。

處方 正規學校教育 最大量、補習教育 最大量、幼稚園 最大量、圖書館 最大量、讀報社 最大量

主治醫師 蔣渭水

大正十年十一月三十日

節錄自蔣渭水提出的「臨床講義」，是他對當時臺灣的狀況提出診斷和處方建議！

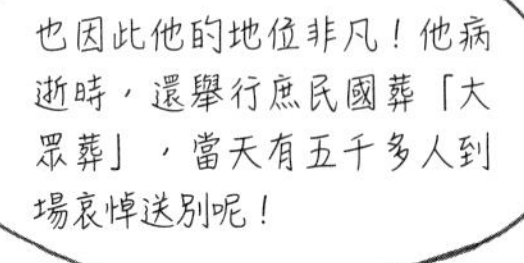

大事紀

1890 年—蔣渭水出生於宜蘭。
1910 年—就讀臺灣總督府醫學校。
1916 年—開設大安醫院。
1921 年—成立臺灣文化協會。
1923 年—因治警事件被捕入獄。
1927 年—成立臺灣民眾黨。
1931 年—因病過世。

歷史故事延伸影音 

Taiwan Bar -【臺灣吧第 3 集】
復古味新絕配的社會運動

第十四章

致力爭取人民權利的臺灣議會之父

林獻堂曾在臺灣文化協會演講：「雖然社會大眾有時誤解本會（臺灣文化協會）很危險，但我們需要向前邁進，之後必要時有可能再更改協會的規定。……我們要改造大家的主要精神，就是要建造一艘以航海作為目標的堅固大船……」他希望可以透過演講、活動來啟發民眾對臺灣民主的意識，還出借私宅作為演講場地。

不過，林獻堂究竟是誰呢？為什麼他願意花費那麼多精神和心力來鼓舞當時的民眾改造，並為臺灣人爭取民主權利呢？

來自霧峰林家的三少爺

一百多年前的臺灣，人們無法在街上自由表達自己的看法，更不用說自由選擇新聞媒體或報章雜誌了。那時候全臺灣發行量最大的報紙，就是由臺灣總督府主導的《臺灣日日新報》，所以民眾主要獲取的媒體資訊大部分都由總督府控管。

當時蔣渭水等人希望可以透過活動來啟發民眾，因此成立了臺灣文化協會。其中，號召大家共同向日本政府請願的「臺灣議會之父」林獻堂向日本政府爭取臺灣人民的權利更是不遺餘力！

林獻堂出身於臺灣五大家族之一——霧峰林家。霧峰林家曾協助平定太平天國、戴潮春事件，並參與清法戰爭、組織抗日義軍，加上林家經營生意有成，成為當時臺灣社會最具影響力的家族之一。林獻堂的父親林文欽喜歡藝文，在鄉里中也造橋鋪路、設置渡口、義診、賑災，相當熱心公益。林獻堂從小在自家開設的私塾接受漢學教育，擁有深厚的國學底子，也因為在父親身邊耳濡目染，他同樣有著以「人溺己溺」、「以天下為己任」的胸懷，也長期關心臺灣的藝文活動。

日本之旅是改變契機

1895年，臺灣被割讓給日本，林獻堂在家人的要求下，短暫到中國避難，後來因為父親病逝，他又回到臺灣掌管家業。1907年林獻堂到日本奈良旅行途中，遇見清末維新運動的中堅分子——梁啟超，兩人相見恨晚，林獻堂也把握機會請教梁啟超：「在日本不公平的統治之下，該怎麼幫助臺灣人爭取自由呢？」

梁啟超對當時清帝國狀況比較熟悉，衡量了中、日情勢之後，他告訴林獻堂：「三十年之內，中國恐怕沒辦法幫助臺灣獲得自由。但是，愛爾蘭爭取自治的過程，可以作為臺灣學習的對象！」他也建議林獻堂去認識日本中央政府的高官，跟他們交朋友，勸他們讓總督府不要過分打壓臺灣人。因此，在與梁啟超懇談後，林獻堂開始了以溫和的方式來從事臺灣民主運動。

為臺灣人爭取權利的民族運動

1913年，為了爭取臺灣人的教育權，林獻堂與堂兄弟、一群地方仕紳一起向總督府請願，爭取設立臺中中學校，這是第一所專收臺灣人的公立中學，也是林獻堂第一個發起具有臺灣色彩的民族運動。

為了凝聚臺灣人民，他隔年就成立「同化會」，希望以此爭取臺灣人能夠和日本人享有平等的待遇。不過，同化會才成立短短的不到兩個月，就遭日本政府以「妨害公安」之名強制解散，但林獻堂仍然堅持繼續為臺灣人爭取權利。

不久之後，他和蔣渭水成立了「臺灣文化協會」，在教育不發達的舊時代，希望透過舉辦講習會、讀報社等動，對臺灣人民進行思想的啟蒙，促使臺灣人關注自身的權益，他甚至提供家中的空間「萊園」，作為文化協會裡「夏季學校」的上課地點。

日治時期的臺中中學校，由民間捐款建設校舍，再捐獻給日本政府。

不過，口號可不是只在自己家裡喊喊就好，為了讓臺灣人的聲音可以傳達到日本帝國境內，林獻堂發起了「臺灣議會設置請願運動」，從 1921 到 1934 年間，總共請願了 15 次。不過，隨著第二次世界大戰戰情逐漸緊張，日本國內軍國主義盛行，政府也大力鎮壓臺灣民族運動，這些運動最後也無疾而終。

1940 年，臺灣進入皇民化時期，殖民政府為使臺灣人能與日本同心協力投入戰爭，因此積極籠絡臺灣菁英，林獻堂在臺灣總督府歷任評議員、大屯郡事務長、貴族院敕選議員等職務，五年後，第二次世界大戰結束，林獻堂更當選第一屆臺灣省參議會議員，也部分實現了他一直極力爭取臺灣人議會的理想，由此可見他在地方上的影響力。。

遠走他鄉的晚年

隨著戰後國民政府的到來，林獻堂作為臺灣五大家族之一的霧峰林家成員，又長期帶領臺灣民族運動，想當然耳，應該要被政府重用才對。不過，因為他在日治時期為了能替臺灣人民發聲，常與日本高官往來，被後來的政府認為是背叛臺灣，甚至把他列為「臺省漢奸」，不接受他的主張與批評，還派警察到家中威脅他。

之後政府實行土地改革，臺灣各大家族持有的土地資產大幅縮水，霧峰林家當然也不例外。二二八事件發生時，林獻堂眼見政府接收人員腐敗釀成民變，周遭朋友陸續被捕，他深受打擊，也對政治心灰意冷，決意脫離是非之地，藉口飛往日本治病，一代臺灣民主運動的先驅，從此沒能回國，最後病逝於東京。

林獻堂一生為了臺灣民主付出心力，致力爭取臺灣人民的權利，一代臺灣民主運動的先驅，雖然抑鬱而終，但他留下的學校與風範，依舊閃閃發亮。

大事紀

1881 年—林獻堂出生於臺中霧峰。
1899 年—接掌家族事業。
1902 年—受臺灣總督府委任，擔任霧峰參事、區長。
1905 年—出任臺灣製麻株式會社取締役（相當於董事）。
1907 年—在日本奈良與梁啟超會面，請教臺灣自治之道。
1913 年—向總督府請願，表達臺灣人出錢成立臺中中學校的意願。
1914 年—成立「同化會」。
1920 年—以臺灣東京留學生為主體，在東京成立「啟發會」，隔年改為「新民會」。
1921 年—開始向帝國議會要求設立臺灣議會；同年，與蔣渭水成立臺灣文化協會。
1930 年—與蔡培火等成立「臺灣地方自治聯盟」。
1946 年—當選第一屆臺灣省參議會參議員。
1949 年—以治療頭部暈眩為由，離開臺灣，從此旅居日本。
1956 年—病逝於日本東京。

歷史故事延伸影音 

公視青春發言人
【臺灣史！不能只有我看到第 2 集】
林獻堂環遊世界

§第十五章§

第一位入選帝展的臺灣畫家

你知道從嘉義市區就可以看見臺灣第一高峰「玉山」嗎？1947年，冬末初春時，首位入選帝展的臺灣人畫家陳澄波，他從蘭井街的住家看見遠方玉山積雪的景致，便迅速捲起袖子，搬來平常使用的畫具，專注的在畫布上呈現出心中的臺灣之美。

只是沒想到，這幅畫也成為他的最後一幅畫作，後來他因為二二八事件而犧牲了……

美術啟蒙的少年時期

陳澄波在 1895 年出生於嘉義，這一年，清帝國與日本簽訂馬關條約，日本開始治理臺灣。他的父親是位秀才，以教人漢文為生。母親則在生下他不久後便撒手人寰。

陳澄波由開雜糧店舖的祖母撫養長大，直到十三歲時，才進入嘉義第一公學校就讀。雖然在學習上起步比較晚，卻一點也沒有影響他的課業表現。他十八歲考上臺灣總督府國語學校師範科，也迎來了人生第一個重要的轉捩點。

他在臺北求學時，陳澄波有機會受到水彩畫家石川欽一郎的指導，激發他對於繪畫的熱愛，並練就了一身繪畫基本功。不過，為了生計打算，陳澄波從學校畢業後還是先回故鄉任教。他回家鄉教書期間，和妻子張捷結婚。但是陳澄波從未放棄繪畫的夢想，在妻子全力的支持下，1924 年考上東京美術學校圖畫師範科，前往日本求學，但家中的經濟重擔也因此落在妻子肩上。

■陳澄波入選第七回帝展作品〈嘉義街外〉。

赴日求學，入選帝展

當時，要去日本留學不是一件容易的事情，加上陳澄波已經將近三十歲了，為了追趕與同學的差距，在東京美術學校就讀期間，他日以繼夜的精進自己素描與油畫的知識與技巧，並不斷的到戶外寫生，增強自己的繪畫能力，讓同樣來自臺灣的同學廖繼春和林玉山，都對陳澄波的學習精神印象深刻。

三年級時，陳澄波就以黑馬之姿，從眾多日本同學的作品中脫穎而出，他以油畫作品〈嘉義街外〉入選了競爭激烈的「帝國美術展覽會」（簡稱帝展）；隔年，進入研究科往上深造，再次以家鄉為題材繪製的油畫作品〈夏日街頭〉入選帝展。兩幅作品中，展現了明亮而愉悅的生活情景，以及家鄉美好祥和的一面，由此可見陳澄波對家鄉的豐富情感。

當時的帝展其實沒有任何獎金，但是卻是藝術家的夢想，人人都希望可以入選帝展，因為入選就是代表著被主流藝術圈認同，簡直就像是拿了一張藝術圈的 VIP 通行證。只是，想要入選帝展並不容易，因此陳澄波入選帝展的消息很快就傳播開來，鼓舞了更多以美術為終生職志的年輕學子，也讓日本同學對他刮目相看，不再輕視他。

活躍畫壇，致力於美術教育

雖然入選了帝展，但是陳澄波完成日本的學業，想在臺灣找工作，卻因為日本政府的「差別待遇」而連連碰壁。後來，透過中國畫家朋友的引介，他受邀到上海的美術專科學校任職，家人也跟著一起搬到上海。陳澄波旅居上海期間，畫風也受到中國水墨畫的影響，他試圖將水墨畫的技巧融入原本的繪畫之中，展現中西合璧的繪畫風格。創作能量豐沛的他又以西湖為題的〈早春〉和〈西湖春色〉二部作品再次入圍帝展，成為臺灣四次入選帝展紀錄保持人。

不過，陳澄波一直非常關心臺灣美術的發展，他曾和多名志同道合的畫家組成「赤島社」畫會，致力推動臺灣美術的普及與教育，在每一年春天舉辦畫展，希望「以赤誠的藝術力量讓島上人的生活溫暖起來」。後來因為部分成員離開臺灣而解散。

後來陳澄波因中國戰亂回到臺灣，但他並沒有停下腳步，依然持續推動臺灣美術運動，包括陳澄波在內，廖繼春、顏水龍、李梅樹、李石樵、楊三郎、立石鐵臣等人一同創立「臺陽美術協會」，為了臺灣更好的美術創作環境努力，並與當時官辦的「臺灣美術展覽會」互別苗頭，經常舉辦展覽，是民間主辦的美術展覽中最具規模的，網羅了當時臺灣第一流的藝術家們參與，同時推動了「臺灣新美術運動」。追求臺灣意識和民族平等，回歸鄉土與刻劃人性本質的創作，促使了不少畫家投入專職畫家工作，也為臺灣近代美術史發展奠定基礎。

二二八的受難者

後來日本戰敗，臺灣改由中華國民政府治理，陳澄波對於臺灣脫離日本統治而感到欣喜，也對新政府抱著極大期望，更憑著一股想為臺灣美術發展盡一份心力的熱血，因此投身政治，並當選嘉義市第一任參議會議員，從此他從藝術界跨足政治界，希望能透過新政府的力量來扭轉美術教育的頹勢。

但誰也沒想到，在二二八事件後，陳澄波和其他議員、地方仕紳組成「二二八事件處理委員會」前往協商時，卻反遭逮捕，後來更在嘉義火車站前被槍決，享年只有短短的 52 歲。

陳澄波一生始終在美術創作的路上孜孜不倦，他的作品有嚴謹的構圖、大膽的用色，卻又不失純樸稚拙，充滿著強烈執著又真摯的「素人」個性。始終愛著這片土地的他，從一幅幅珍貴的作品中呈現出臺灣動人的生命力，他的殞落無疑是臺灣美術史上最大的損失。

大事紀

1895 年—陳澄波出生於嘉義。
1913 年—嘉義第一公學校（今日嘉義崇文國民小學）畢業。
1917 年—臺灣總督府國語學校公學師範部（今國立臺北教育大學）畢業。
1918 年—與張捷女士結婚。
1927 年—東京美術學校（今東京藝術大學）畢業，同年入選「第八屆帝展」。
1929 年—東京美術學校西畫科研究所畢業，同年創立赤島社，並前往上海新華藝術專科學校西畫科任教。
1933 年—與楊三郎、李石樵、顏水龍、李梅樹、廖繼春、立石鐵臣、陳清汾等 8 位畫家合組「臺陽美術協會」。
1934 年—入選「第十五屆帝展」。
1946 年—就任嘉義市第一屆參議會議員，同年擔任「第一屆臺灣省美術展覽會」審查員。
1947 年—二二八事件期間遭槍決於嘉義火車站前。

§第十六章§

臺灣第一才子

1940年代，在「臺北公會堂」（今日臺北中山堂）舞臺上，曾有一個男高音每次登臺演出，臺下總是爆出如雷的掌聲，還有不少的女粉絲睜大眼睛看著她們心中的偶像，他是八十年前被譽為「臺灣第一才子」的呂赫若。

呂赫若不只會唱，還會寫，年紀輕輕就在文壇上大展身手，被譽為天才作家，並想透過文藝活動來改善臺灣。不過，最後卻因為發表的作品被列入通緝名單，斷送了自己的創作之路，還因此丟了性命……

 文學天才的誕生

呂赫若，本名呂石堆，1914 年出身臺中，家境富裕。當時日本已經統治臺灣約二十年，不少臺灣人會選擇送小孩去讀師範學校，畢業後從事教職。呂赫若也不例外，他從臺中師範學校畢業後開始當老師。他在臺中營盤公學校（今日營盤國小）教書，有一份穩定的薪水。

呂赫若在念書時期就已經非常喜歡文藝活動，他的興趣相當多元，除了文學外，也喜歡音樂。生活穩定後，他也開始創作，首篇日文小說〈牛車〉在當時日本文壇的重要雜誌《文藝評論》上發表，因為內容關懷社會弱勢及人道情懷，加上好文筆，廣受好評，被譽為「天才作家」，日本文壇十分肯定他的創作。

無法滿足於教學平穩的生活，呂赫若在文壇上獲得肯定後，便想要前往東京進修。當時的東京對臺灣人而言不僅是重要的政治和經濟的中心，也是文化的聖地。呂赫若心想，如果自己想要在文藝的領域有所突破，一定要前往朝聖，才可以得到注目。

他在 1939 年前往東京的武藏野音樂學校的聲樂科進修。到了日本後，呂赫若醉心於戲劇發展，積極爭取入「東寶劇團」（今日的日本寶塚劇團前身），東寶劇團向來只招收最具潛力的創作者和表演者，呂赫若能以一個臺灣人的身分在東寶劇團參與演出了一年多，非常不簡單。

在劇團表演的經驗，融合了文學、表演和音樂，讓呂赫若能充分展現自己的藝術才華，在演出的過程中，他深切的體會到自己想要從事戲劇創作，更想要為臺灣的戲劇表演和藝文活動貢獻。

臺灣文學和文藝運動

在日本文藝界發展了幾年後，呂赫若回到臺灣，加入當時以刊登臺灣作家作品為主的《臺灣文學》季刊，擔任編輯並協助撰稿，同時還擔任《興南新聞》的記者。

這段時間，開始有人針對臺灣文學提出不同的發展意見。由於臺灣是日本的殖民地，臺灣作家想要在文壇占有一片天地並不容易，雖然已經有越來越多人可以使用流利的日文在社交場合談話和寫作，並慢慢受到日本文壇肯定，但是有些人開始思考「什麼才是屬於臺灣的文學作品？」是以日文或北京話來書寫臺灣？（雖然當時大部分的臺灣人都不講北京話）還是應該要用臺灣話或新的「臺灣話文」來書寫，才算得上是「臺灣文學」呢？

各種不同的意見在文學界中不斷的爭執與辯論著。

呂赫若回到臺灣正好面臨了這場「臺灣新文學運動」，但是他並沒有加入文壇的筆戰，也不隨意批評，反而透過自己的筆來針砭時政，並反映底層臺灣的真實生活，以及受到殖民政府壓迫的悲哀，希望能因此改變臺灣社會。

在編輯、記者工作之餘，呂赫若積極的從事各種藝文活動，他寫舞臺劇劇本，也舉辦個人的演唱會，小說創作也沒有間斷，可以說是十八般文藝樣樣精通。才華洋溢，再加上他帥氣的外表吸引許多女性粉絲為之瘋狂，每一次他表演時，臺下幾乎座無虛席，擠滿了粉絲。

人間蒸發

即使到了日本統治皇民化時期，以及隨之而來的第二次世界大戰期間，呂赫若的創作能量絲毫沒有減少。但是他的人生與文學生涯卻在中華民國政府接收臺灣後戛然而止。

中華民國接收初期，呂赫若仍舊積極從事藝文活動，除了加入「三民主義青年團」，也繼續從事記者工作，並且在建國中學和北一女中擔任音樂老師，持續以中文發表小說。

呂赫若的創作風格寫實，也經常關心社會議題，他對當時的新政府有許多不滿，更曾經透過寫作批評新政府。二二八事件之後，社會主義興起，呂赫若加入中國共產黨，開始積極參與社會主義的宣傳，希望能拯救於黑暗時局中的臺灣。1949 年後，新政府開始大規模掃蕩異議分子，曾經批評政府的呂赫若當然也被列入通緝名單，最後跟著同伴逃至新北市石碇山區的鹿窟。

1952 年，大批軍警包圍鹿窟山區，搜捕了數百名「叛亂分子」，其中有 35 人判決死刑，史稱「鹿窟事件」。但是呂赫若不在被抓到的民眾行列，雖然一度傳出他失蹤或是逃亡國外的消息，但在後來的報告書中，才有當時同行的人說他看到呂赫若在逃跑的過程中被毒蛇咬死。一個才華洋溢、宛如彗星般燦爛的才子就此隕落，成為當時臺灣文壇最大的憾事，就因為在政權的轉變中，曾用文字針砭政府，從此斷送了大好的前程，這也是那段期間許多知識分子悲慘的命運。如果沒有失去這些重要的藝術家和文學家，相信今日的臺灣文學和藝文活動會有更不同的樣貌吧！

■ 鹿窟事件發生於今日新北市石碇地區，該事件是 1950年代白色恐怖時期最大的逮捕行動。

大事紀

1914 年—呂赫若出生於臺中潭子。
1934 年—畢業於臺中師範學校。
1935 年—作品〈牛車〉得到文壇的注意。
1939 年—至東京武藏野音樂學校。
1942 年—回臺加入《臺灣文學》。
1947 年—主編社會主義的刊物《光明報》。
1949 年—擔任北一女中音樂教師。
1950 年—據說遭毒蛇咬傷而過世。
1998 年—《鹿窟事件調查研究》出版，其後重啟調查，當時許多無辜被捕的冤案受難者也陸續獲得平反及賠償。

歷史故事延伸影音 

Taiwan Bar -
消失的「臺灣第一才子呂赫若」

§第十七章§

第一個獲得奧運獎牌的臺灣人

你知道第一位得到奧運獎牌的臺灣人是誰嗎？或許你會先想到 1960 年在羅馬奧運拿下十項全能銀牌的楊傳廣。事實上，早就 1936 年，年僅 26 歲的江文也，以管弦樂作品《臺灣舞曲》擊敗群雄，獲得柏林奧運的藝術競技佳作，更是至今唯一拿下奧運該獎項的東方人，一躍成為國際樂壇知名的作曲家。

江文也到底是誰？為什麼他可以參加奧運，並獲得獎項？現在，就讓我們一起來認識他吧！

半途出家的音樂人

臺灣第一位獲得奧運獎牌的音樂家江文也，本名「江文彬」，出生於今日的新北市三芝，在家中排行老二的他，有一個哥哥和一個弟弟。江文也家族原本在三芝從事農業耕作，後來改行從事貿易，他也曾隨著家人搬到廈門生活。當時往返臺灣廈門兩地大都選擇搭乘輪船，下午從基隆出發，只要在船上睡一覺，隔天早上就抵達廈門了，因為交通便利許多人經常往返兩地工作。

江文也的奧運獎牌圖

小時候的江文也最愛跟著母親一起唱歌，因為家裡生意的緣故，經常搬家，江文也從來沒有接受過正規的音樂教育，媽媽就是他的音樂啟蒙老師。他從廈門的學校畢業時，母親不幸因病過世，忙於生意的父親騰不出時間養育孩子，於是把江文也和他的哥哥送往東京留學。

不過，當他們正要踏上旅途時，日本發生關東大地震，東京一帶災情慘重，於是他和哥哥轉而進入長野縣中學讀書。1927 年金融恐慌席捲日本，家裡生意也受到影響而破產，江文也只好暫時放下進入音樂大學的夢想，按照父親的期許：「學習實用的工業技能，找到能夠養活自己的一技之長。」進入武藏高等工業學校就讀。

但是，熱愛音樂的江文也並沒有輕易放棄音樂夢想，他反而利用課業之餘的時間，到東京音樂學校的夜間部，學習聲樂技巧和作曲方法。

激發了無數靈感的故鄉

因為平常保持對音樂的熱忱與努力，他在工業學校畢業當天，就和當時世界最大的唱片公司「哥倫比亞唱片公司」簽下合約，取了藝名「江文也」，錄製第一張唱片：《肉彈三勇士》。

不過，江文也的生活仍然很窮困，必須靠四處「走唱」維持生計，沒什麼驚人的創作，直到他隨著臺灣鄉土訪問音樂團，回到故鄉臺灣參與巡迴演出後，才有了改變。

江文也從童年離開臺灣後，一直沒有機會回國好好瞧瞧故鄉。這次的巡迴演出機會讓他突然發覺臺灣自然、人文風景好美、好動人，於是，他把內心的感動全部寄託到音樂裡，第一首鋼琴曲《城內之夜》就這樣誕生了。

當他再度受邀來臺灣演奏，有比較多的時間可以四處看看，田野間悠閒覓食的白鷺鷥，有時又飛在天上輕輕翱翔，此情此景完全打動了他的心，直覺這是臺灣意象代表，於是動筆寫下管弦樂《白鷺鷥的幻想》，這個作品更讓他獲得日本全國音樂比賽作曲組第二名的殊榮。故鄉臺灣的景色和生活激發了他的創作靈感，後來，他更把鋼琴曲《城內之夜》改編成《臺灣舞曲》參賽，更獲得奧運特別獎的肯定。

命運乖舛的音樂才子

江文也得獎的好消息傳回臺灣之後，各家報紙大張旗鼓報導，不少臺灣人心情雀躍。就當大家以為江文也獲得奧運肯定後，工作邀請一定會如雪片飛來，但是，奧運的光環並沒有讓他在日本、臺灣找到合理待遇的工作。日本政府對江文也得獎的事蹟相當低調，才沒有特別加以宣揚。

無可奈何之下，江文也接受了北平師範大學音樂系的教學聘書，前往中國謀求發展機會。在中國任教期間，他的音樂創作也受到當地文化影響，有了新風格。他開始將自己的音樂創作融合中國古典元素，先後創作了許多富有中國民族風格的作品，其中最有名的莫過於改編祭祀孔子的傳統音樂，江文也讓傳統音樂搖身一變，成為管弦樂作品。

可惜江文也平和的生活並不久，1945 年抗日戰爭終於結束，政府卻認為他是「文化漢奸」，認為他的作品有些是在讚揚日本侵略中國，因此把他抓進外籍戰犯拘留所。那十個半月暗無天日的監獄生活讓江文也幾近絕望，幸好後來被即時解救出來。

無法回到家鄉的遺憾

1949 年，國民黨政府預計要遷移到臺灣。「是否要跟著回到臺灣呢？」江文也猶豫了，雖然他很想回到家鄉，但是卻又害怕自己身上曾掛著「漢奸」罪名，如果回到臺灣，極有可能又被抓進監獄裡。最後，他只好選擇繼續留在中國，沒想到這讓他再也沒有機會見到故鄉臺灣的景色了。

1950 年代，遇上共產黨的「反右運動」，他再次受到政治牽連，失去教職；緊接而來的文化大革命，更讓他被迫接受艱苦的勞動改造工作——這一次他淪落為清掃廁所的工人，從此完全不敢說出以前輝煌的音樂成就。直到他 1983 年 10 月 24 日離開人世之時，他的女兒仍以為自己的父親只是個廁所清潔人員。

從江文也的人生際遇不難窺見一般民眾面臨歷史巨變的深感無奈，更反映了政權交替之下，臺灣人可能遭遇的命運。生於臺灣長於日本，死於中國的江文也，一生流轉於東亞各國，飽受敵視與苦難，卻未放棄希望，努力生活。他在病榻末期，依舊堅持創作，最後留下遺作交響樂《阿里山的歌聲》。可惜，直到病逝前，他都沒能再踏上故鄉臺灣，欣賞故鄉之美。

大事紀

1910 年—江文也出生於三芝。
1914 年—隨著家人遷往廈門。
1918 年—進入廈門旭瀛書院求學。
1922 年—母親病故，轉往日本長野縣的中學就讀。
1928 年—中學畢業，進入武藏高等工業學校就讀，同時在東京音樂學校夜間部學習。
1932 年—工學校畢業。
1934 年—參與「鄉土訪問音樂團」，回到臺灣公演。
1936 年—獲得柏林奧運特別獎。
1938 年—到北平師範大學音樂系教書。
1945 年—被視為文化漢奸，遭到逮捕入獄。
1950 年—受聘於中央音樂學院。
1957 年—被反右運動打為右派。
1966 年—在文化大革命時被批鬥，下放勞改。
1983 年—過世。

ᘓ第十八章ᘓ

第一位臺籍留美博士教育家

「爸爸，你看，豬仔來了！」有一個孩子看著來臺接收的士兵，卻被他的父親嚴厲指正：「不可以這樣叫他們。」

這位父親是臺灣第一位獲得美國博士學位的林茂生，十分堅持自己教育理念。他告訴孩子：「畢竟中國亂了這麼久，我們應該要更寬容。」在家裡，他堅持以臺語交談，不講日語；在學校，他也無畏政府想法，做著認為對教育正確的事。只是，這樣的堅持，卻也為他帶來麻煩……

書香世家的薰陶

林茂生 1887 年出生於臺南，出身傳統書香世家，父親是清帝國時期的秀才。在耳濡目染的薰陶下，從小學習漢文，漢學底子深厚的林茂生，更寫得一手好書法。青少年時期，他進入基督教會學校「長老教中學」（今日臺南長榮中學）就讀，也因為受到後來從事神職工作的父親及教會學校影響，開始接受西式教育的啟蒙，有機會學習西方的知識與思想。

由於成績優異，林茂生二十歲時受教會推薦至日本留學，在東京帝國大學哲學科主修東方哲學。求學期間，他也熱衷於社會文化運動，擔任臺灣留學生組成的「高砂青年會」第一任會長，這個團體以「涵養愛鄉心情，發揮自覺精神，促進臺灣文化的開發」為精神，在日本致力推動臺灣民族自決運動。

林茂生取得學位返回臺灣後，在母校長老教中學教授英文，同時也不停舉辦演講，推廣人文教育。

1921 年臺灣文化協會成立後，林茂生受邀開設西洋歷史講座，就算知道日本警察混雜於群眾裡監視，他仍不畏懼。雖然日本殖民政府把他視為眼中釘，卻無法忽視林茂生的才華。1927 年，他獲得政府公費，前往美國哥倫比亞大學進修，接受美國著名的教育哲學家杜威指導，取得碩士和博士學位，成為臺灣首位留美博士。他更在論文中直接批評日本政府的教育歧視政策，使得臺灣學生無法獲得和日本學生相同的受教內容與機會。

畢業時，哥倫比亞大學原本希望林茂生留在美國教書，但他卻婉拒：「想到臺灣家鄉的一群羔羊，我實在是非回去不可。」

面對動盪時期的臺灣

1930 年，林茂生頂著第一位臺籍留美博士的光環返臺，先後在臺北高等商業學校（今日臺灣大學管理學院）與臺南高等工業學校（今日成功大學）任教，負責教授德文和英文，同時也擔任長老教中學理事，受到許多學生的熱烈歡迎。

1930 ～ 1940 年代，由於日本對外發動侵略戰爭，臺灣被迫加入戰局，隨著戰情越來越激烈，日本帝國更嚴厲控制各個殖民地，舉凡學校設立或各種文化活動都有許多不合理的要求，這讓林茂生非常苦惱。

他因為不贊同日本政府要求長老教中學學生參拜神社，跟日本政府鬧得不可開交。最後長老教中學決定妥協，帶著學生參拜靖國神社，林茂生憤而辭去學校理事長的職務。

到了第二次世界大戰末期，林茂生被迫加入皇民奉公會，擔任文化部長，他仍舊不畏日本殖民政府的權威，不僅斥責想為日本軍國主義宣傳的記者，更身體力行，不配合日本政府提倡的皇民化運動：堅決不改日本姓、堅持在家不講日本話。

戰後的光明和黑暗

日本戰敗，臺灣面臨政權更替的巨變，一開始，林茂生對於臺灣能脱離日本的統治給予相當高的期望。當時，林茂生代表接收臺北帝國大學文政學部，協助學校運作。後來改名為臺灣大學文學院，他則代理文學院院長。除了校務以外，林茂生擔心臺灣人民不了解中國，還創辦《民報》提倡漢民族傳統與知識，可見到他對未來充滿憧憬。

不過隨著政府接收官員的不肖行徑越來越嚴重，林茂生不得不在《民報》上開始批評各種貪汙腐敗的劣行，也因此得罪了政府當局，最後落得《民報》被停刊的命運。

1947年，二二八事件爆發，許多臺灣菁英都受到牽連，一個接著一個「人間蒸發」。林茂生還曾感慨的説：「局勢不好了！看樣子，臺灣人將要更加艱苦了！」沒想到，這把火也燒到他的身上。

同年三月，有一些人來到林茂生的住處，拿著手槍對著林茂生，並告訴他：「陳長官（陳儀）請你去説話。」林茂生雖然回覆對方：「我的意見他都已經知道啦！」，卻仍無法抗拒對方，只好跟著這群人離開，沒想到一走從此斷絕音訊，再也沒有回來。

林茂生一生學養豐富，中西兼備。投身教育一輩子他始終堅信著：「教育，是臺灣前途光明的唯一希望。」因此，無論身處於哪個政權下，他都抱持著批判思辨的精神，告訴政府該改進的地方，也致力為臺灣人民謀求更好的待遇，讓臺灣人保有自己的文化，但是最後卻不得善終，讓臺灣的教育失去了一位重要的推手。

大事紀

1887 年—林茂生出生於臺南。
1899 年—進入長老教中學念書。
1916 年—取得東京帝國大學的學士學位。
1917 年—結婚。
1920 年—在臺南商業專門學校教書，並擔任長老教中學理事長。
1923 年—在「臺灣文化協會」講授西洋史。
1927 年—負笈美國求學。
1929 年—取得哥倫比亞大學的哲學博士學位。
1931 年—任教於臺南高等工業學校（今成功大學）。
1932 年—抗議長老教中學師生參拜靖國神社，辭去理事長的職務。
1945 年—擔任臺大文學院院長、創辦《民報》。
1947 年—3 月 11 日被逮捕，從此下落不明，推估約在 3 月 11 日～ 16 日間遭處決。

§第十九章§

臺灣第一個女記者

七十多年前的臺灣，曾有一位頭戴摩登的寬邊帽子，穿著白色套裝，搭配紅色上衣的女子，自信滿滿的去上班——這是臺灣第一個女記者楊千鶴平時的裝扮，她總是告訴自己：「我在日本人經營的報社當記者是一種挑戰，我要證明一個平時不使用日語的臺灣人，一樣可寫出不輸於日本人的文章。」

為什麼她可以克服種族和性別，在那時候的報章媒體擔任記者？我們先把時間倒回七十多幾年前的臺灣，一起來看看楊千鶴的成長故事，了解她的生活吧！

看似一帆風順的童年時光

楊千鶴 1921 年出生於臺北南門一帶（今日臺北市南昌路一段），雖然家境富裕，但是因為當時臺灣社會「重男輕女」，身為家中老么的她差點被送去其他人家當養女。所幸在母親極力爭取下，她才能留在原來的家庭。童年時期在母親滿滿的關懷與愛中成長，也培養她獨立、有主見的性格。但是，母親卻在她十五歲時離開了人世，讓那時候還在就讀女學校的楊千鶴頓失所依，十分難過。

但她在求學路上頗為順遂，一路受到師長的支持。就讀臺北第二師範附屬公學校、臺北靜修高等女學校後，她更向家裡爭取到臺北女子高等學校就讀，這是當時臺灣唯一的女子最高學府。畢業後，透過朋友牽線，得到了人生的第一份工作，初出茅廬的她到被譽為「蓬萊米之父」的磯永吉旗下弟子中村副教授研究室當助理，不過，才工作了半個月，楊千鶴就辭職了！因為她發現日籍同事有特別加給，薪水比較高，這種不平等待遇，讓一直以真誠待人，仗義執言又執著的她無法忍受決定辭職。

自信追夢的時代

楊千鶴辭去助理工作後，恰巧《臺灣日日新報》正打算招募一名臺灣女性記者。當時日籍作家西川滿在《臺灣日日新報》擔任文藝版、讀書版的主編，他對楊千鶴曾經發表一般人對臺灣喪禮的誤解文章〈哭婆〉非常肯定，便任用她。

在那個女性普遍無法讀書、工作的時代，能夠成為一位女記者可是非常不容易的。不過，楊千鶴在應徵工作時，卻向報社提出一個要求：「我的待遇要跟日本人一樣才行！」西川滿於是向報社爭取後，允諾楊千鶴的薪資和其他日籍同事一樣，這才開啟了楊千鶴工作的新視界！

在擔任記者期間，她除了向大眾介紹臺灣各地的風俗民情外，也積極在「家庭文化版」傳達衛生、育兒等現代知識。由於職業的關係，她能夠接觸到不同的人群，也因此和藝文界人士有頻繁的交流，也曾訪問畫家郭雪湖、以及當時被日本人視為最頭痛的爭議人物──文學家賴和等人，記錄這些藝文人士當時的活動和成就，也為臺灣藝文界留下不少珍貴資料，而她的努力和表現讓更主編西川滿非常讚賞！

楊千鶴的文筆在當時備受許多文壇前輩的肯定，她的筆調細膩，文壇對她的評價極高，覺得她絕對不遜色於男性作家，真是巾幗不讓鬚眉。

人生的轉折

不過，很可惜的是楊千鶴記者的生涯並不長，後來由於戰爭擴大，報紙專欄的版面也縮小，楊千鶴因而辭職。雖然在她辭職後，還是陸續有文章發表，不過仍與文壇漸行漸遠。

婚後楊千鶴幾乎停筆，經歷過日治時期到戰後，楊千鶴從一個天真爛漫的少女變成一位飽經世事的長者，在漫長的人生歲月裡，她將才華隱藏起來，過著平凡主婦的生活。她和丈夫原本以為二戰結束後的臺灣能夠迎來一片欣欣向榮，殊不知，接續著日本統治的國民黨政府，又帶來了一連串的問題，在動盪的政治波濤中，她的丈夫也被人誣陷逮捕，成為政治鬥爭下的受害者。後來，由於總統特赦，丈夫被釋放，之後全家遠離臺灣，移居美國。

重新筆耕，寫出自己的心路歷程

後來有學者發現楊千鶴文章的價值，並說服她寫下自己的生命故事，楊千鶴這才重新拾筆寫作，並出版了自傳《人生的三稜鏡》一書。她在傳記中寫下：「在寫作過程中，穿過時光隧道，會見了昔日的我而感到喜悅。尤其是與母親相處的時光中，我竟迂迴再三，走不出來。當寫到母親臨終的情景，更不禁淚洒如雨，在淚雨中，我也幸福溫存於母親的餘韻中。……又回到年輕多夢而充滿自信的青春時代，回到那充滿憧憬與有如天邊彩虹般美麗的時代之際，自己常會『飄飄欲仙』而忘了現實。」楊千鶴用真誠的文字，道出人生的感觸，也寫出忠於自我的作品。

透過楊千鶴的文章和人生故事，我們能看見日治時期臺灣的生活樣貌，以及當時女性的夢想、機會、壓抑與身處大環境的無奈。她提供了從女性視角來檢視這段歷史的珍貴紀錄，也讓我們時至今日仍能窺見數十年前臺灣女性的堅毅風貌。

大事紀

1921 年—楊千鶴出生於臺北市。
1940 年—畢業於臺北女子高等學院。
1941 年—進入臺灣日日新報報社，擔任家庭文化欄記者。
1942 年—發表小說《花開時節》。
1943 年—結婚並辭去記者一職。
1950 年—當選地方自治實施後的臺東縣第一屆縣議員。
1951 年—當選臺灣省婦女會理事及臺東縣婦女會理事。
1989 年—復出文壇，於日本筑波大學舉行的臺灣文學國際會中發表論文〈回憶文學運動中的人與事〉。
1993 年—以日文出版長篇自傳《人生のプリズム》（人生的三稜鏡》）。
2001 年—出版《花開時節》單行本。
2011 年—病逝於美國馬里蘭州自宅，享年 90 歲。

⸾第二十章⸾

臺灣醫療的奠基者

1923年10月，當時臺灣最大的報紙《臺灣日日新報》用斗大的標題寫道：「杜聰明獲得醫學博士學位，是臺灣第一個博士！全臺灣人都以他為榮！」這個好消息鼓舞不少臺灣人。

當時，臺灣處在日本政府的殖民統治之下，人民生活彷彿就像次等國民。但是杜聰明卻憑著自己的努力和實力，證明臺灣人的實力並非不如日本人。學成歸國後的杜聰明更為臺灣帶來更重要的發展……

人如其名的杜聰明

杜聰明出身臺北三芝農民家庭，從小就聰慧過人，就讀公學校時，更以第一名的成績畢業。當他以榜首之姿考上當時臺灣最頂尖的學校——臺灣總督府醫學校，卻因為體格檢查不合格，而被校方拒絕錄取。幸好當時醫學校的校長長野純藏愛惜人才，認為名列榜首的學生被淘汰是件可惜的事，因而力排眾議破例錄取他。

杜聰明當然也意識到自己的不足，在總督府醫學校就讀期間，除了上課、讀書之外，他更勤勞鍛鍊自己的體魄，每天做體操、洗冷水澡，也利用空餘時間游泳、登山。他知道，只有健康的身體，才有奮鬥成功的本錢。

後來，杜聰明當然也以第一名從總督府醫學校畢業，並在校長的推薦之下，前往京都帝國大學醫學部研究藥理學，並獲得了博士學位。

全心投入藥學研究

學成歸國以後，杜聰明在當時臺灣的第一學府——臺北醫學專門學校（今日的臺灣大學醫學院）任教，成為當時唯一的臺灣人教授。除了教學之外，他更積極投入臺灣本土醫學研究。

因為當時臺灣的醫療資源有限，為了抵抗瘧疾，許多人民都有吸食鴉片的習慣，甚至成癮。由於吸食鴉片的花費很高，就連外銷茶葉而賺了不少錢的茶農，鴉片成癮後，收入也大幅縮減，更別提一般的市井小民，為了鴉片傾家蕩產的人比比皆是。不少外國商人還會乾脆拿鴉片來和臺灣人交換臺灣茶、糖、樟腦等商品，英國領事報告資料也曾經記錄：「此地開發資源所得，多半花在鴉片上，真是一種遺憾。」

雖然民眾逐漸意識到鴉片的危害，一時之間卻難以戒除。為了協助治療鴉片成癮者，藥理學背景的杜聰明研發副作用較輕微的「漸禁斷療法」，能夠有效、低痛苦的戒除鴉片，且能在短時間內有效治癒鴉片成癮的病患。

為了解決臺灣鴉片成癮的問題，總督府也成立「臨時鴉片癮矯正所」，並交由杜聰明主持。透過杜聰明的治療法，進入矯正所的患者只需要短短兩個半月時間，就能成功戒除鴉片成癮症，創下臺灣首度藉由近代醫學矯正鴉片煙癮的成功案例。

除了鴉片治療方法外，杜聰明同時也是毒蛇研究的權威。他發現蛇毒可以麻痺中樞神經的痛覺，因此，從蛇毒中提煉鎮痛劑，可以局部消除病患疼痛感，效果持久又不會上癮，他積極研究蛇毒，也成為國際學界難得的「蛇毒研究專家」。

一步步終結「無醫村」

隨著日本戰敗，臺灣由中華民國政府代表同盟國接收，身為臺北帝國大學唯一的臺灣人醫學教授，杜聰明也順理成章成為戰後臺大醫學院的首任院長。

然而，因為語言、種族、意識形態的隔閡，當時來臺接收的外省官員與臺籍菁英一直無法達成共識，更爆發二二八事件，大量的臺籍菁英在二二八事件中失蹤，而杜聰明也在此時選擇亡命天涯，不知去向。

直到事件落幕後，杜聰明才再度公開活動，但早就人事全非。因為許多臺籍優秀的醫學人才相繼被逮捕或殺害，讓杜聰明有志難申；加上他與臺大校方對於校務理念的爭執，最後決定離開臺大，並到南部重起爐灶。

杜聰明認為：「在公立大學做不到的理想，我可以在私立大學實現。」所以在 1955 年創立全臺灣第一所私立大學——「高雄醫學院」。他在南部設立醫院，其實是希望可以均衡臺灣南北醫療資源的差異，培養屬於南臺灣的醫療人才，此外，杜聰明有一個更高的理想：希望可以終結臺灣的「無醫村」，讓每個村落都可以有足夠的醫療資源。

為了實現「根絕無醫村」的夢想，杜聰明在高雄醫學院開辦「山地醫學專科班」，培育原住民學生，給予公費補助，讓他們在畢業後可以返回家鄉帶動偏鄉建設、改善環境，用科學的方式治療疾病，也使得醫療可以在臺灣山地鄉村逐漸普及，讓偏鄉死亡率逐年下降。

杜聰明博士是臺灣醫學的奠基者，作為一名醫生，對於醫學、蛇毒與藥理研究更是不遺餘力，拯救了更多的病人。但是他不只醫人，更致力於醫學教育。他設立醫學院，為臺灣培養更多的醫學人才，是名符其實的「臺灣醫學之父」。

■杜聰明的邀請畫家李石樵繪圖，將蘭大衛醫師割下妻子皮膚以醫治臺灣病童畫面，勉勵學生做好醫生。

大事紀

1893 年—杜聰明出生於臺北三芝。
1909 年—以第一名考進臺灣總督府醫學校。
1915 年—前往日本京都帝國大學醫學部就讀。
1922 年—與夫人林雙隨結婚。
1923 年—獲得醫學博士學位。
1937 年—擔任臺北帝國大學醫學部教授，是唯一的臺灣人教授。
1945 年—擔任臺灣大學第一屆醫學院院長兼熱帶醫學研究所所長、第一附屬醫院（今日臺大醫院）院長。
1948 年—以醫學院院長兼教務長的身分，擔任臺灣大學代理校長。
1954 年—創辦高雄醫學院（高雄醫學大學前身），擔任院長。
1986 年—辭世，享年 93 歲。

歷史故事延伸影音 

公視青春發言人
【臺灣史！不能只有我看到第 9 集】
杜聰明的故事

§第二十一章§

一生致力翻譯文學的文壇大師

一生筆耕的文學家梁實秋隨著政府來到臺灣後，一邊執教鞭，一邊寫文章、翻譯經典文學作品，同時又編寫各種語文教材，彷彿精力永遠都用不完。

他的人生前半段在中國，後半段在臺灣，身兼作家、批評家、學者、翻譯家各種身分，究竟為臺灣帶來什麼樣的影響呢？

清華學校的影響

梁實秋，本名梁治華，1903 年生於中國北京，他的父親服務於警察廳，對於漢學頗有研究，又因為曾愛過外文教育的背景，希望孩子們也可以接受新式教育，因此把小孩都送入西式學校就讀。不過，梁實秋當時卻對新式教育沒有太大的興趣，於是後來改進入公立第三小學就讀，接受漢學教育。十二歲這一年是梁實秋生命中最重要的轉折點，他聽從了父親的指示，以第一名的成績考入了北京的清華學校。

當時的清華學校是一所中等科四年、高等科四年，共計八年學制的學校，主要培養領袖人才，課程安排上非常特別，有別於傳統私塾的教育方式，清華學校特別重視英文課程，上午課程安排通常是英文、公民、數學、西洋史、生物、物理、政治學等，使用美國出版的教科書，一律採用英語講授；下午課程則是使用中國的教科書，採用中文講授國文、歷史、哲學史、儒學、理學、中國文學史等課程。

這種中西合璧的教學方式，帶給中國教育制度現代化的元素，培養出許多頂尖的人才。梁實秋在這樣的環境之下，得以加深他的英語功力，同時也更深化他對中國文化以及文學的熱愛。

除此之外，清華學校校風對於政治事件十分敏感，像是在五四運動期間，清華的學生也加入罷課抗議的潮流，當時十六歲的梁實秋也曾參與其中。五四運動隨後而來的「新文化運動」也深深影響著梁實秋。他看到中國當時的新式教育人才為學界帶來了一股強大的活力，也希望自己可以為文學創作帶來了新的動力。

因此，梁實秋與幾位志同道合的住校同學組成「小說研究社」，還在學校發起各種文學活動。梁實秋與小說社的同學每日六點就早起盥洗，然後就進自修室勤奮的練習書法與寫作，整整持續了兩年，從未間斷。

■清華大學門口，前身為清華學校。

清華學校之前是清華學堂，是以美國逐年退回的一千餘萬美元賠款，用於人才培養和赴美留學教育的教育機構。不過後來因為戰爭而停課。

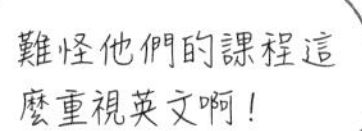

如果學校改成每天早上都是英文課，我就頭痛了！

 從未停筆的創作人生

梁實秋在清華學校時，就開始寫散文。二十歲時，他到美國科羅拉多大學和哈佛大學留學，期間仍然持續創作以及文學批評寫作。回到中國之後，他先後在南京的東南大學與北京大學外文系任教。當時文學家胡適、徐志摩、聞一多等人籌設新月社文學團體，同時創辦了《新月》雜誌，並邀請梁實秋擔任總編輯。新月社提倡現代詩歌格律化美感，不過後來徐志摩飛機失事後，雜誌停刊，新月社也解散了。

1949 年梁實秋隨著國民政府遷居來臺，從此和妻子在臺北定居。他曾擔任國立編譯館館長、臺灣省立師範學院英語系主任和國立臺灣師範大學文學院長。在師大任教期間，他的教學、行政工作從未中斷，設立師大英語教學中心、國語教育中心，以及臺灣第一所國文研究所及英語研究所，還主編英漢辭典、漢英辭典，及撰寫各種英語教材。但是，他的翻譯與創作同時也依舊持續進行，他常常坐在書桌前開始創作或翻譯，就忘了時間，總要妻子提醒，才會休息。

梁實秋創作了不少日常生活相關的散文作品，他的散文作品後來集結成為《雅舍小品》、《雅舍散文》等書。直到 80 多歲，他依舊筆耕不輟，擁有驚人的創作力！

臺灣英語文學的眼睛：梁實秋

除了文學創作，梁實秋最著名的就是他在翻譯文學的貢獻。當他完成美國學業回到中國後，就陸續翻譯一些世界名著，像是《阿伯拉與哀綠綺思的情書》、《潘彼得》、《西塞羅文錄》、《咆嘯山莊》等。

其中梁實秋最重要的翻譯著作「莎士比亞全集」是在臺灣完成的。他在胡適的鼓勵下，開始著手莎士比亞作品的翻譯計畫。由於梁實秋是獨立翻譯共四十冊的莎士比亞全集，數量非常可觀，也曠日費時；加上莎翁作品除了在內容上的中西文化差異外，文字更有許多韻律使用，這項艱鉅的翻譯計畫一直到他退休之後，仍持續進行。1968 年，他終於完成莎士比亞全集四十冊翻譯並出版，前後總共經歷了 38 年。莎士比亞作品有了中譯本，開闊了許多讀者視野，讓更多人可以接觸西洋經典文學閱讀，也助長了白話文學運動。不過，完成莎士比亞全集的翻譯之後，梁實秋並沒有停下他的筆。沒多久，又開始著手書寫《英國文學史》、《英國文學選》兩本巨作。

梁實秋的散文表現更是影響深遠，他的知名作品有《雅舍小品》、《雅舍雜文》等，風格闊達，幽默風趣，反映了作者的真性情，更吸引了非常廣大的讀者。他對文學創作與翻譯文學的貢獻更是他一生不斷堅持的成果。他曾任教的臺灣師範大學為了紀念他在文學和翻譯上的貢獻，更設立了梁實秋文學獎，獎勵更多創作者！

新文化運動與五四運動

民國初年，胡適、魯迅和蔡元培等受過西方教育的知識分子，認為清帝國時期的自強運動並沒有改善中國國家地位弱勢的問題，因此希望從思想和文化的改革來改變中國，並發起了「反傳統、反儒家、反文言」的思想文化革新與文學革命運動。他們提倡民主和科學，希望透過「白話文」和「思想解放」，從政治、文化與思考來影響大眾，稱為「新文化運動」。

1919 年在巴黎舉行的第一次世界大戰後談判會議中，各國無視中國也是戰勝國及中國的權益，將戰敗國德國在山東的權益轉讓給日本，加上學生和民眾認為北洋政府並沒有捍衛國家利益，因此在 1919 年 5 月 4 日，在中國北京地區發生了一場由學生主導的政治運動。

除了學生以外，亦受到當時廣大市民與工商業人士的支持，發起示威遊行、請願、罷課、罷工和暴力對抗政府等行動，以表達不滿，史稱「五四運動」。

五四運動和新文化運動對中國近代史產生了很大的影響，不管是政治、文化或是社會經濟層面，都讓中國轉而開始接觸西方的思想，反對傳統文化的文化思想革命，也因為白話文運動，讓更多人可以接觸知識與學習，至今仍影響深遠！

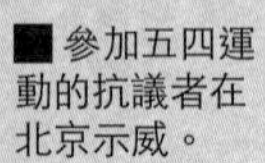
■參加五四運動的抗議者在北京示威。

大事紀

1903 年—梁實秋出生於北京。
1915 年—考入清華學校留美預備班（今清華大學前身）。
1923 年—赴美科羅拉多大學留學。
1924 年—自科羅拉多大學畢業，前往哈佛大學攻讀研究所。
1926 年—回國，在南京東南大學任教。
1927 年—與徐志摩、聞一多創辦新月書店。
1934 年—受胡適之邀，於北京大學外文系任教。
1938 年—中日戰爭爆發，膺選為國民參政會參政員，前往重慶。
1940 年—應星期評論邀書寫專欄，後集結為《雅舍小品》。
1949 年—因國共內戰移居臺灣，任國立編譯館館長、臺灣省立師範學院英語系主任。
1968 年—巨著《莎士比亞全集》四十冊翻譯完成並出版。
1979 年—完成《英國文學史》、《英國文學選》。
1987 年—病逝於臺北。

歡迎
住民一同

§第二十二章§

首位堅持臺灣主體意識的總統

「『在這之前，掌握臺灣權力的，全都是外來政權。』最近我已經不在乎這麼說了：『就算是國民黨也是外來政權呀！只是來統治臺灣人的一個黨罷了，所以有必要將它變成臺灣人的國民黨。』……以往像我們這種七十來歲的人在晚上都不曾好好的睡上一覺，我不想讓子孫們受同樣的境遇。」這是臺灣第一位出身本土、第一位民選的總統李登輝受訪時的想法，也是他在政壇五十年來，始終堅持的本土意識，只是他是如何一步步從農業專家邁入政治之路呢？

成為農業專家之路

李登輝 1923 年出生於三芝（今日新北市三芝區），那時候，臺灣還是由日本政府治理。他的爸爸是名警察，因為職務調動的關係，李登輝小時候常常搬家，光是國小就讀了四所。1941 年，李登輝考上當時臺灣第一志願的高中——臺北高等學校。畢業後，又被保送進入京都帝國大學的農業經濟系就讀。不過，因為第二次世界大戰爆發，日本政府開始徵召臺灣人到前線支援，所以李登輝並沒有順利完成學業，他成為日本陸軍少尉，前往名古屋參加戰役。

戰爭結束後，李登輝重新進入臺灣大學農業經濟系就讀。畢業後，他先後在臺灣省農林廳、合作金庫、中國農業復興聯合委員會等地方工作， 後來更前往美國康乃爾大學取得農業經濟系的博士學位。

農業問題可不是只有種田而已！

李登輝學成歸國後，至國立臺灣大學擔任教授，並兼任農復會技正工作。當時正是臺灣經濟起飛的時期，政府需要各領域專家。1972 年，李登輝受到推薦，以政務委員的身分進入行政院，協助推動臺灣農業政策的改革。

他在擔任臺灣省政府主席期間，曾經提倡「八萬農業大軍」，讓有農業專業的年輕人可以成為種子部隊，把新技術帶入逐漸老化的農村裡。他也運用自己的農業專業知識，推動稻田轉作，並改良臺灣農產品運輸和銷售管道，讓臺灣農業得以進一步「升級」，也平衡了臺灣城鄉的發展。

步步邁入政壇核心

1978 年，當時的總統蔣經國任命李登輝擔任臺北市長，1981 年又升任臺灣省政府主席。受命擔任這些行政首長時，他的表現頗獲各界好評。也因為如此，1984 年李登輝進一步被提名為副總統候選人，並順利當選。

1988 年，蔣經國總統在任內病逝，李登輝繼任總統，成為第一個臺灣本土出生的總統。在擔任總統期間，由副總統李登輝持續推動各種臺灣民主化的改革，像是推動修法，促進思想自由、言論自由、新聞自由和學術自由，同時，也下令釋放在白色恐怖時期遭軟禁的政治犯。不過，他的這些行動卻引起一些外省人的不滿，也引爆了國民黨「外省派系鬥本省派系」的政治鬥爭。

改革的開始

「本省、外省之爭」，這是臺灣近代史上錯綜複雜的政治議題，但李登輝卻選擇傾聽青年學子透過「野百合學運」所表達的意見，並召開國是會議，徵求各方建議以推動憲政改革等行動，也因此獲得了許多人的支持。

1988年，蔣經國在任期內過世，李登輝接任中華民國總統，這是第一次由在臺灣出生的人擔任總統。由於臺灣1949年之後，中華民國政府來臺，長期由蔣氏父子掌控政權，當時以戒嚴令控制臺灣人民，相對威權的統治下，人民無法享受民主。李總統繼任總統後，努力推動臺灣的民主化，促進言論、思想和政治上的自由。

1990年，他獲第一屆國民大會選為臺灣第八任總統。就任後，李登輝正式開始推動憲政改革，不僅履行承諾，在就職一年內完成廢止《動員戡亂時期臨時條款》，展開修憲，更促使萬年國會改選，釋放以前白色恐怖下的政治犯，以及總統直接民選等影響臺灣的變革，讓臺灣逐步成為一個真正民主自由的國家。

■1996年李登輝當選第一任總統，為第一次公民直選總統選舉！

針對外交，李登輝改革了兩蔣時期的彈性外交政策，改以「務實外交」，不受限於意識形態和交流的形式，不再堅持使用正式國家名稱參與國際活動，他並以總統的身分出訪世界各地的國家，建立外交友誼，也推動「南向政策」，增進與東南亞鄰邦友誼，促進臺灣的外交空間。也因為這些外交策略的改變，臺灣才能以「臺澎金馬關稅領域」名義申請加入「關稅暨貿易總協定」（GATT），及以「中華臺北」之名加入亞太經濟合作會議（APEC），使臺灣在國際上被看見，也加入全球貿易的領域。

此外，前兩位蔣總統都任職至辭世，但李登輝卻在 2000 年時決定不再競選第二任民選總統，當年的總統大選由民主進步黨的陳水扁當選。許多國家在政治轉型的過程中，都產生暴力流血衝突，李登輝卻是和平完成政黨輪替。臺灣在民主化的過程中，雖然有政治上的抗爭，但我們都在和平、民主的方式中完成改革，其中李登輝總統有著不可磨滅的功勞。

退而不休的卸任總統

李登輝總統卸任後，他仍然擁有一個農業人的夢想。他以故鄉三芝源興居命名「源興牛」，希望培育出臺灣版和牛。他也曾發表以「源興牛」基因密碼為主題的論文，刊登在日本畜產學界權威期刊《日本畜產學會報》呢！

李登輝認為臺灣事實上已經是一個主權獨立的國家，兩岸早已是各自不同的兩個國家，建立臺灣的國家認同才是現階段需要努力的目標。縱使有人不認同李登輝的政治主張，卻無法抹煞他對臺灣民主進程有所貢獻。毋庸置疑的，李登輝是形塑現今臺灣政經格局和社會文化意識的關鍵人物，他所帶來的影響，直到今日仍在發酵。

總統卸任後也有退休金嗎？

不算是有退休金啦。我國對於卸任國家元首，依照《總統副總統禮遇條例》規定，會有禮遇金、辦公人員等各種費用，也有保健醫療、安全護衛等禮遇喔！

大事紀

1923 年—李登輝出生於臺北三芝源興居。
1943 年—畢業於臺北高等學校，進入日本京都帝國大學農學部農業經濟系就讀。
1946 年—返臺進入由臺北帝國大學改組而成的國立臺灣大學就讀。
1952 年—首次赴美，到愛荷華州立大學研究農業經濟。
1953 年—取得碩士學位返臺，擔任臺灣省農林廳技士及經濟分析股股長。
1964 年，獲得美國洛克菲勒農業經濟協會以及康乃爾大學聯合獎學金，前往康乃爾大學攻讀農業經濟博士。
1968 年—獲得博士學位，回國後被聘為國立臺灣大學教授兼農復會技正。
1972 年—蔣經國擔任行政院院長，李登輝以政務委員入閣，成為當時最年輕的閣員。
1978 年—被任命為臺北市市長。
1981 年—由臺北市長升任臺灣省政府主席。
1984 年—當選臺灣第七任副總統。
1988 年—蔣經國總統逝世，李登輝以副總統身分繼任總統。
1990 年—「野百合學運」爆發，李登輝召開「國是會議」，徵求各界意見作為憲政改革參考。同年，當選為臺灣第八屆總統。
1991 年—宣布廢止動員戡亂時期臨時條款，展開第一次修憲，使各中央民意代表得以改選。
1996 年—當選臺灣第九任總統，也是臺灣史上首位公民直選的國家元首。
2017 年—開設公司培育臺灣和牛，以自己在三芝的故居「源興居」命名為「源興牛」。
2020 年—辭世，享年 97 歲。

附錄

本書與十二年國民基本教育社會領域課綱學習內容對應表
國民小學中年級教育階段（3-4 年級）

學習主題軸	內涵概念	能力指標編碼與主要內容	對應內容
A. 互動與關聯	a. 個人與群體	Aa- II -1 個人在家庭、學校與社會中有各種不同的角色，個人發展也會受其影響。	全書
		Aa- II -2 不同群體（可包括年齡、性別、族群、階層、職業、區域或身心特質等）應受到理解、尊重與保護，並避免偏見。	全書
	b. 人與環境	Ab- II -1 居民的生活方式與空間利用，和其居住地方的自然、人文環境相互影響。	全書
		Ab- II -2 自然環境會影響經濟的發展，經濟的發展也會改變自然環境。	第一章、第四章、第八章
	c. 權力、規則與人權	Ac- II -2 遇到違反人權的事件，可尋求適當的救助管道。	第十二章、第十三章、第十四章、第十五章、第十六章、第十七章
	d. 生產與消費	Ad- II -1 個人透過參與各行各業的經濟活動，與他人形成分工合作的關係。	第一章、第二章、第四章、第七章
	e. 科技與社會	Ae- II -1 人類為了解決生活需求或滿足好奇心，進行科學和技術的研發，從而改變自然環境與人們的生活。	第八章、第二十章
	f. 全球關連	Af- II -1 不同文化的接觸和交流，可能產生衝突、合作和創新，並影響在地的生活與文化。	第一章、第二章、第三章、第十二章、第十三章、第十四章、第十七章

B. 差異與多元	a. 個體差異	Ba- II -1 人們對社會事物的認識、感受與意見有相同之處，亦有差異性。	全書
C. 變遷與因果	b. 歷史的變遷	Cb- II -1 居住地方不同時代的重要人物、事件與文物古蹟，可以反映當地的歷史變遷。	全書
	c. 社會的變遷	Cc- II -1 各地居民的生活與工作方式會隨著社會變遷而改變。	全書
D. 選擇與責任	a. 價值的選擇	Da- II -1 時間與資源有限，個人須在生活中學會做選擇。	全書

國民小學高年級教育階段（5-6 年級）

學習主題軸	內涵概念	能力指標編碼與主要內容	對應內容
A. 互動與關聯	a. 個人與群體	Aa- III -1 個人可以決定自我發展的特色，並具有參與群體社會發展的權利。 Aa- III -2 規範（可包括習俗、道德、宗教或法律等）能導引個人與群體行為，並維持社會秩序與運作。 Aa- III -3 個人的價值觀會影響其行為，也可能會影響人際關係。 Aa- III -4 在民主社會個人須遵守社會規範，理性溝通、理解包容與相互尊重。	第十二章、第十三章、第十四章、第十五章、第十六章、第十七章、第十八章、第十九章
	b. 人與環境	Ab- III -1 臺灣的地理位置、自然環境，與歷史文化的發展有關聯性。 Ab- III -2 交通運輸與產業發展會影響城鄉與區域間的人口遷移及連結互動。 Ab- III -3 自然環境、自然災害及經濟活動，和生活空間的使用有關聯性。	第一章、第三章、第八章、第二十章

	c. 權力、 規則與人權	Ac- III -1 憲法規範人民的基本權利與義務。 Ac- III -2 法律是由立法機關所制定，其功能在保障人民權利、維護社會秩序和促進社會進步。 Ac- III -3 我國政府組織可區分為中央及地方政府，各具有不同的功能，並依公權力管理公共事務。 Ac- III -4 國家權力的運用會維護國家安全及社會秩序，也可能會增進或傷害個人與群體的權益。	第五章、第六章、第十一章、第十二章、第十三章、第十四章、第十五章、第十六章、第十七章、第十八章
	e. 科技與社會	Ae- III -1 科學和技術發展對自然與人文環境具有不同層面的影響。 Ae- III -2 科學和技術的發展與人類的價值、信仰與態度會相互影響。 Ae- III -3 科學和技術的研究與運用，應受到道德與法律的規範；政府的政策或法令會因新科技的出現而增修。	第八章
	f. 全球關連	Af- III -1 為了確保基本人權、維護生態環境的永續發展，全球須共同關心許多議題。 Af- III -2 國際間因利益競爭而造成衝突、對立與結盟。 Af- III -3 個人、政府與民間組織可透過各種方式積極參與國際組織與事務，善盡世界公民責任。	第十三章、第十四章、第二十二章
B. 差異與多元	a. 個體差異	Ba- III -1 每個人不同的生活背景與經驗，會使其對社會事務的觀點與感受產生差異。	全書
	b. 環境差異	Bb- III -1 自然與人文環境的交互影響，造成生活空間型態的差異與多元。	全書
	c. 社會與文化的差異	Bc- III -1 族群或地區的文化特色，各有其產生的背景因素，因而形塑臺灣多元豐富的文化內涵。 Bc- III -2 權力不平等與資源分配不均，會造成個人或群體間的差別待遇。	全書

C. 變遷與因果	b. 歷史的變遷	Cb- III -1 不同時期臺灣、世界的重要事件與人物，影響臺灣的歷史變遷。 Cb- III -2 臺灣史前文化、原住民族文化、中華文化及世界其他文化隨著時代變遷，都在臺灣留下有形與無形的文化資產，並於生活中展現特色。	全書
	c. 社會的變遷	Cd- III -1 不同時空環境下，臺灣人民透過爭取權利與政治改革，使得政治逐漸走向民主。 Cd- III -2 臺灣人民的政治參與及公民團體的發展，為臺灣的民主政治奠定基礎。	全書

國民中學教育階段（7～9 年級）

學習主題軸	內涵概念	能力指標編碼與主要內容	對應內容
A. 早期臺灣	a. 史前文化與臺灣原住民族	歷 Ba- IV -1 考古發掘與史前文化。 歷 Ba- IV -2 臺灣原住民族的遷徙與傳說。	第一章
	b. 大航海時代的臺灣	歷 Bb- IV -1 十六、十七世紀東亞海域的各方勢力。 歷 Bb- IV -2 原住民族與外來者的接觸。	第二章、第三章、第四章
C. 清帝國時期的臺灣	a. 政治經濟的變遷	歷 Ca- IV -1 清帝國的統治政策。 歷 Ca- IV -2 農商業的發展。	第五章、第六章
	b. 社會文化的變遷	歷 Cb- IV -1 原住民族社會及其變化。 歷 Cb- IV -2 漢人社會的活動。	第一章、第七章、第十二章

E. 日本帝國時期的臺灣	a. 政治經濟的變遷	歷 Ea- IV -1 殖民統治體制的建立。 歷 Ea- IV -2 基礎建設與產業政策。 歷 Ea- IV -3 「理蕃」政策與原住民族社會的對應。	第三章、第九章、第十章、第十一章、第十二章
	b. 社會文化的變遷	歷 Eb- IV -1 現代教育與文化啟蒙運動。 歷 Eb- IV -2 都會文化的出現。 歷 Eb- IV -3 新舊文化的衝突與在地社會的調適。	第十二章、第十三章、第十四章、十五章、第十六章、第十七章、第十八章
F. 當代臺灣	a. 政治外交的變遷	歷 Fa- IV -1 中華民國統治體制的移入與轉變。 歷 Fa- IV -2 二二八事件與白色恐怖。 歷 Fa- IV -3 國家政策下的原住民族。 歷 Fa- IV -4 臺海兩岸關係與臺灣的國際處境。	第十三章、第十四章、第十五章、第十六章、第十七章、第十八章
I. 從傳統到現代	b. 政治上的挑戰與回應	歷 Ib- IV -1 晚清時期的東西方接觸與衝突。 歷 Ib- IV -2 甲午戰爭後的政治體制變革。	第七章
	c. 社會文化的調適與變遷	歷 Ic- IV -1 城市風貌的改變與新媒體的出現。 歷 Ic- IV -2 家族與婦女角色的轉變。	第十八章
K. 現代國家的興起	a. 現代國家的追求	歷 Ka- IV -1 中華民國的建立與早期發展。 歷 Ka- IV -2 舊傳統與新思潮間的激盪。	第十五章、第十六章、 第十七章
	b. 現代國家的挑戰	歷 Kb- IV -1 現代國家的建制與外交發展。 歷 Kb- IV -2 日本帝國的對外擴張與衝擊。	第九章、第十章、第十一章、第十二章
L. 當代東亞的局勢	a. 共產政權在中國	歷 La- IV -1 中華人民共和國的建立。 歷 La- IV -2 改革開放後的政經發展。	第十七章

參考書目：

1. 周婉窈，《臺灣歷史圖說》，臺北：聯經出版事業公司，1999。
2. 歐陽泰（Tonio Andrade）著，鄭維中譯，《福爾摩沙如何變成臺灣府？》，臺北：遠流出版事業股份有限公司，2007。
3. 翁佳音，〈荷蘭時代臺灣教會史（二）── 戴雍牧師承先啟後〉，《臺灣文獻季刊》52：1，2001。
4. 康培德，《殖民想像與地方流變：荷蘭東印度公司與臺灣原住民》，臺北：聯經出版公司，2016。
5. 趙爾巽編，《清史稿》，北京：中華書局，1977。
6. 盧正恆，〈旗與民：清代旗人鄭氏家族與泉州鄭氏宗族初探〉，《季風亞洲研究》，2：1，新竹，2016.04。
7. 鄭永常，〈鄭成功海洋性格研究〉，《成大歷史學報》，臺南，2008.06。
8. 施琅，《靖海紀事》，臺北：臺灣銀行經濟研究室，1958。
9. 施偉青，《施琅年譜考略》，長沙：岳麓出版社，1998。
10. 施偉青，《施琅評傳》，廈門：廈門大學出版社，1987。
11. 李筱峰，《60 分鐘快讀臺灣史》，臺北：玉山社，2002。
12. 周璽，《彰化縣志》，南投：臺灣省文獻會，1997。
13. 謝國興，《官逼民反 ── 清代臺灣三大民變》，臺北：自立晚報出版部，1993。
14. 陳宏文，《馬偕博士在臺灣 George L. Mackay D. D. in Taiwan》，臺北：中國主日學協會出版部，1998。
15. 馬偕 (MacKay, George Leslie) 著，陳宏文譯，《馬偕博士日記》，臺南：人光出版；新樓發行代理，1996。
16. 馬偕 (MacKay, George Leslie) 著，陳冠州、Louise Gamble(甘露絲) 主編，《北臺灣宣教報告：馬偕在北臺灣之紀事 1868-1901》，臺北市：明燿文化， 2012。
17. 王業鍵，〈甲午戰爭以前的中國鐵路事業〉，《中央研究院歷史語言研究所集刊》，南港，1971.12。
18. 蘇梅芳，〈李鴻章、劉銘傳與鐵路自強方案〉，《成功大學歷史學報》，臺南，1997.12。
19. 蘇梅芳，〈劉銘傳的自強維新思想與抱負〉，《成功大學歷史學報》，臺南，1996.12。
20. 陳偉智，《伊能嘉矩：臺灣歷史民族誌的展開》，臺北：國立臺灣大學出版中心，2014。
21. 伊能嘉矩著，楊南郡譯，《臺灣踏查日記》，臺北：遠流出版事業股份有限公司，2012。
22. 戴國輝、陳鵬仁，〈伊澤修二與後藤新平〉，《近代中國》，臺北，2003.06。
23. 范燕秋，〈新醫學在臺灣的實踐（1898-1906）── 從後藤新平《國家衛生原理》談起〉，《新史學》，南港，1998.09。
24. 黃福慶，〈論後藤新平的滿洲殖民政策〉，《近代史研究所集刊》，上期，南港，1986.06。
25. 李永熾，《不屈的山嶽：霧社事件》，臺北：近代中國出版社，1984。
26. 鄧相揚，《霧社事件》，臺北：玉山社出版公司，1998。
27. 鄧相揚，《風中緋櫻：霧社事件真相及花岡初子的故事》，臺北：玉山社出版公司，2000。

28. 黃煌雄，《蔣渭水傳：臺灣的孫中山》，臺北：時報文化出版公司，2015。
29. 簡炯仁，《臺灣民眾黨》，臺北：稻鄉出版社，2001。
30. 林柏維，《臺灣文化協會滄桑》，臺中，臺原出版社，1993。
31. 張正昌，〈林獻堂與1910年代臺灣民族運動的醞釀〉，《歷史學報》，臺北：1981。
32. 張正昌，《林獻堂與臺灣民族運動》，臺北：益群書店，1981。
33. 張炎憲，〈林獻堂對民族運動的貢獻〉，《臺灣文獻50》，臺北，1999。
34. 黃裕元，〈論人物研究與民族觀：以林獻堂之「民族思想」為例〉，《史匯》，臺北，2000。
35. 賴西安（李潼），《臺灣民族運動倡導者：林獻堂傳》，臺中：臺灣省文獻委員會，1978。
36. 謝里法，《日據時代臺灣美術運動史》，臺北：藝術家出版社，2011。
37. 林育淳，《油彩．熱情．陳澄波》，臺北：雄獅圖書股份有限公司，1987。
38. 顏娟英，《臺灣美術全集1— 陳澄波》，臺北：藝術家出版社，1992。
39. 王德威，〈史詩時代的抒情聲音：江文也的音樂與詩歌〉，《臺灣文學研究集刊》，臺北，2007.05。
40. 周婉窈，〈想像的民族風－試論江文也文字作品中的臺灣與中國〉，《臺大歷史學報》，臺北，2005.06。
41. 劉美蓮，《江文也傳：臺灣、日本、中國的風雨人生》，新北市：INK印刻文學，2016。
42. 王昭文，〈開明的基督教育家 —— 林茂生〉，《新使者》，臺北，2009.10。
43. 李東華，〈光復初期（1945－50）的民族情感與省籍衝突－從臺灣大學的接收改制做觀察〉，《臺大文史哲學報》65，臺北，2006.11。
44. 李筱峰，《林茂生、陳炘和他們的時代》，臺北：玉山出版社，1996。
45. 唐詩，〈228七十周年紀念受難人物系列四／林茂生講文明，不許子女稱「豬仔」〉，《民報》，2017.02.27。
46. 楊千鶴；林智美、張良澤譯，《人生的三稜鏡》，臺北：南天書局，1999。
47. 呂紑紑，〈大東亞體制下的女性文明想像〉，《臺灣文學學報》，臺北，2010.06。
48. 莊永明，《杜聰明》，臺中：莎士比亞文化，2009。
49. 葉炳輝、許成章，《南天的十字星：杜聰明博士傳》，高雄：新民書局，1960。
50. 〈杜聰明 院長【第一任院長】〉，「高雄醫學大學 歷任校長介紹」網站，網址：https://www.kmu.edu.tw/index.php/認識高醫/校長－副校長/歷任校長/48-杜聰明－院長【第一任院長】
51. 〈博士祝宴〉，《臺灣日日新報》，1923.03.12，D06版。
52. 〈杜博士祝賀會〉，《臺灣日日新報》，1923.03.16，D06版。
53. 宋益喬著，《梁實秋傳》，臺南：文國，1999。
54. 梁實秋作，《梁實秋自傳》，南京市：江蘇文藝出版社，1996。
55. 〈養牛養出心得！李登輝論文登日畜產權威期刊〉，新唐人亞太電視臺，2018.03.10。
56. 李登輝，〈李登輝主要文章演講稿〉，「李登輝基金會」網站。
57. 林衡哲，〈民主政治家李登輝：臺灣民主政治的奠基者〉，《二十世紀臺灣代表性人物（上）》，臺北：望春風文化，2001。
58. 張炎憲，《李登輝先生與臺灣民主化》，臺北：玉山社，2004。

少年知識家

故事臺灣史❷
22個改變臺灣的關鍵人物

作　者｜故事 寫給所有人的歷史團隊：王亭方、朱曼云、林柏安、胡川安、唐甄、張安理、張哲翰、黃宥惟、葉峻廷、鍾安（依筆劃排序）
繪　者｜慢熟工作室
審　定｜許佩賢（臺灣師範大學臺灣史研究所教授）

責任編輯｜楊琇珊
美術設計｜蕭旭芳
行銷企劃｜葉怡伶

天下雜誌群創辦人｜殷允芃
董事長兼執行長｜何琦瑜
兒童產品事業群
副總經理｜林彥傑
總編輯｜林欣靜
版權主任｜何晨瑋、黃微真

出版者｜親子天下股份有限公司
地址｜臺北市 104 建國北路一段 96 號 4 樓
電話｜（02）2509-2800 傳真｜（02）2509-2462
網址｜ www.parenting.com.tw
讀者服務專線｜（02）2662-0332
週一～週五：09:00~17:30
讀者服務傳真｜（02）2662-6048
客服信箱｜ parenting@cw.com.tw
法律顧問｜台英國際商務法律事務所 ・ 羅明通律師
製版印刷｜中原造像股份有限公司
總經銷｜大和圖書有限公司　電話：（02）8990-2588
出版日期｜ 2019 年 10 月第一版第一次印行
2022 年 9 月第一版第十六次印行
定 價｜ 380 元
書 號｜ BKKKC127P
ISBN ｜ 978-957-503-495-5

訂購服務
親子天下 Shopping ｜ shopping.parenting.com.tw
海外 ・ 大量訂購｜ parenting@cw.com.tw
書香花園｜臺北市建國北路二段 6 巷 11 號
電話（02）2506-1635
劃撥帳號｜ 50331356 親子天下股份有限公司

立即購買 >

國家圖書館出版品預行編目（CIP）資料

故事臺灣史：22 個改變臺灣的關鍵人物 / 故事寫給所有人的歷史團隊作 ； 慢熟工作室繪． -- 第一版． -- 臺北市 ： 親子天下， 2019.10
152 面 ；18.5 X 24.5 公分
ISBN 978-957-503-495-5（平裝）

1. 臺灣傳記 2. 人物志

783.31　　108014684

圖片出處：
p.12 By Caspar Schmalkalden, [Public Domain] via Wikimedia Commons
p.25 By Unknown, [Public Domain] via Wikimedia Commons
p.43 By A collaboration between Chinese and European painters, [Public Domain] via Wikimedia Commons
p.52 By Unknown photographe, [Public Domain] via Wikimedia Commons
p.84 By 臺灣民眾黨，[Public Domain] via Wikimedia Commons
p.91 原提供者：李晃毅 Pbdragonwang 翻拍，[Public Domain] via Wikimedia Commons
p.97 By LY, [CC BY-SA 4.0] via Wikimedia Commons
p.105 By lienyuan lee, [CC BY 3.0] via Wikimedia Commons
p.129 By 李石樵，[CC BY-SA 2.5] via Wikimedia Commons
p.133 By Tsinghua University, [Public Domain] via Wikimedia Commons
p.136 By Unknown, [Public Domain] via Wikimedia Commons
p.142 天下雜誌資料照片。
影片連結提供：臺灣吧、公視青春發言人